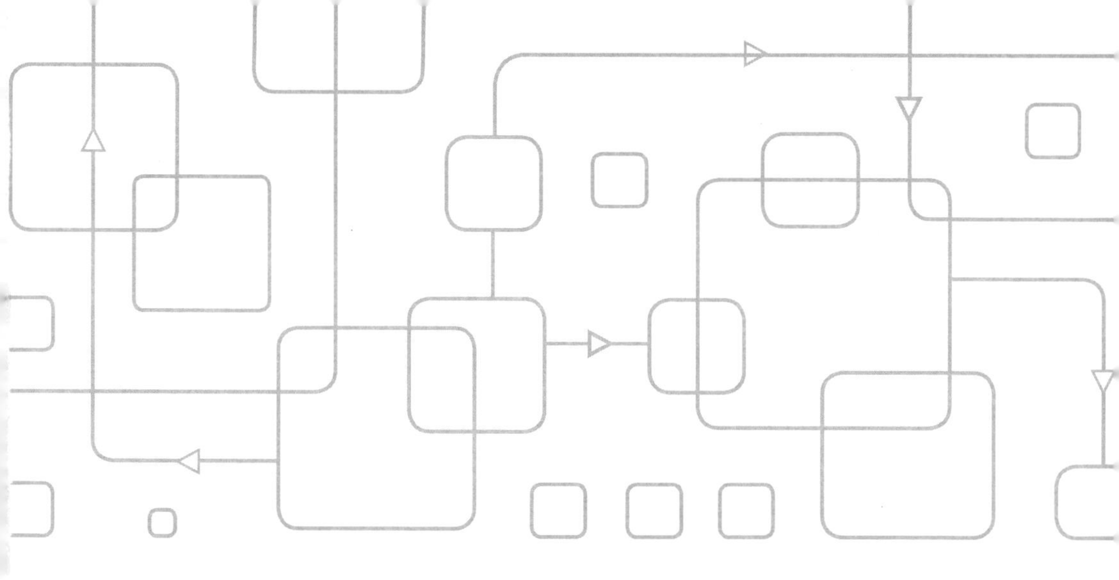

Rodrigo Nascimento

MARKETING NA ERA DOS DADOS

O fim do achismo

Publisher
Henrique José Branco Brazão Farinha
Editora
Cláudia Elissa Rondelli Ramos
Preparação de texto
Gabriele Fernandes
Revisão
Ariadne Martins
Vitória Doretto
Projeto gráfico de miolo e diagramação
Lilian Queiroz | 2 estúdio gráfico
Capa
Rubens Lima
Impressão
BMF Gráfica

Rua Sergipe, 401 – Cj. 1.310 – Consolação
São Paulo – SP – CEP 01243-906
Telefone: (11) 3562-7814/3562-7815
Site: http://www.evora.com.br
E-mail: contato@editoraevora.com.br

Dados Internacionais de Catalogação na Publicação (CIP) de acordo com ISBD

N244m Nascimento, Rodrigo Rodrigues do

Marketing na era dos dados: o fim do achismo / Rodrigo Rodrigues do Nascimento. - São Paulo, SP : Évora, 2019.
200 p. ; 16cm x 23cm.

Inclui bibliografia.
ISBN: 978-85-8461-208-6

1. Marketing. 2. Tecnologia. 3. Informação. 4. Dados. I. Título.

CDD 658.8
2019-1765 CDU 658.8

Elaborado por Vagner Rodolfo da Silva - CRB-8/9410

Índice para catálogo sistemático:
1. Marketing 658.8
2. Marketing 658.8

Agradecimentos

Primeiramente, agradeço à minha família. Obrigado mãe, pai e irmã por sempre me apoiarem em todas as loucuras, mesmo que o risco seja alto. Vocês são pessoas que me transformam sempre. Muito obrigado por todas as palavras de incentivo.

Obrigado também à minha esposa, Kaw, e à minha cachorrinha, Auri, por terem paciência ao me ver na cama digitando quase todos os dias, por cinco meses, desde as cinco da manhã, e em alguns fins de semana e feriados.

Agradeço também ao Raphael Lassance, que despretensiosamente me apresentou ao Henrique da Editora Évora, que topou o desafio de lançar o primeiro livro sobre marketing de dados no Brasil.

Obrigado ao time da Buscar ID por todo o feedback e crescimento que me proporcionam até hoje. Obrigado por acreditarem em mim até o fim. Fizemos história com nossas iniciativas.

Ao Diego Gomes por ter acreditado e apostado de olhos fechados em meu primeiro projeto de marketing de dados, o instinto ID control.

Ao time da Obabox por ter me abraçado e me ensinar tanto sobre negócios e pessoas.

Obrigado ao Carlos Soares e ao David por me ensinarem tanto e acreditarem em tudo o que fiz na Obabox.

Ao Rafael Rez por sempre estar ao meu lado e pelo projeto incrível que fizemos juntos, o Checklist SEO.

Obrigado ao Bruno Índio e ao Celso Neto pela amizade e por apoiarem minhas iniciativas. Muito orgulho do In'Furnados.

Ao Ricardo Cappra e à Letícia Pozza por me darem toda a base de ciência de dados que tenho e que se transformou no conteúdo deste livro.

Ao Christian Reed por todas as nossas conversas, que me fazem crescer e refletir sobre meus negócios e as decisões a serem tomadas.

Aos meus alunos do Checklist SEO, Imersão Data Science para marketing e negócios, IBMEC, UNA, UNIBH e de todos os cursos presenciais que ministrei.

Aos participantes das edições do ID360, nosso evento de marketing de dados. Transformamos o evento em uma experiência espetacular em marketing de dados conectando grandes nomes do mercado nacional e internacional com todos os presentes.

A você, leitor deste livro, preciso fazer um agradecimento especial. Espero que esta leitura seja rica e que você possa aplicar os ensinamentos aprendidos em seus projetos e clientes. Torço para, no mínimo, ter "provocado" você com o panorama apresentado aqui.

Prefácio

Você deve estar surpreso por eu escrever um prefácio de um livro sobre dados e o poder de sua análise. Afinal, há seis anos, iniciei um pequeno empreendimento chamado Rock Content, sem nenhum plano de negócios, metas ou projeto financeiro. Estávamos construindo uma empresa baseados em um palpite... Baseados na nossa intuição.

Mas o mundo muda rapidamente... E eu tive a sorte de acompanhar de perto o nascimento da economia de dados, de ver essa grande mudança de *mindset* em relação ao marketing e à aquisição de clientes.

Naquela época, não havia *playbooks*, grandes referências ou guias sobre como se adaptar/sobreviver/crescer. Tivemos a sorte de dominar instintivamente essa mudança, simplesmente porque precisávamos. Foi quando conheci o Rodrigo Nascimento e percebi sua paixão pelo assunto. Tive a chance de assistir ao seu trabalho incansável de ajudar os profissionais de marketing a crescer de uma maneira menos dolorosa. Desde então, tenho lido seu blog, discutimos ideias e tendências com frequência, por horas a fio, e ele se tornou um amigo e mentor no assunto.

A partir dos seus aprendizados, ele passou a escrever incessantemente sobre o poder de "pensar em números", e como isso pode impactar nossas vidas e negócios.

Rodrigo diz que, em vez de uma habilidade a ser dominada, a extração e a análise de dados são uma rotina a ser incorporada. Ele explica o que toda empresa precisa fazer para focar, priorizar e gerenciar dados com disciplina, para gerar inteligência competitiva. Dessa forma, o sucesso será inevitável. Acredito nisso. Por essa razão, meu conselho para você, leitor, é simples: não fique à espera de um "big bang" ao adotar essas práticas. Comece pequeno: inicie a análise, reflita e incorpore o processo ao seu dia a dia. As respostas estarão nos seus dados, e aos poucos você evoluirá, compreendendo os padrões que fazem a sua engrenagem girar.

Neste livro, Rodrigo traz, de forma simples e pragmática, ideias que todos que trabalham com estratégias de marketing (mas também com qualquer estratégia de negócio!) devem estudar, incorporar e desenvolver.

Faço apenas uma ressalva: hoje, pesquisas afirmam que a maioria dos leitores nunca termina sequer um capítulo dos livros que compra. Assustador, certo? E, do grupo daqueles que leem toda a obra, poucos acabam dando vida às ideias e aos aprendizados obtidos. Espero que você não se torne apenas mais uma estatística. Desejo que você seja capaz de gerar inteligência e produzir ótimos resultados no seu negócio e na sua vida ao aplicar os ensinamentos com que este livro o presenteia!

Diego Gomes,
CEO e fundador da Rock Content.

Sumário

Introdução

Por que uma empresa precisa de marketing por dados?

A competitividade está cada vez maior no mercado da comunicação (como em muitos outros mercados), de modo que precisamos mostrar na mesma velocidade nossos valores como pessoas, profissionais e empresas.

O marketing por dados traz maior exatidão em ações e mensurações de resultados que eliminam ou reduzem um dos maiores problemas que as empresas que investem em marketing têm: o medo de investir errado e perder dinheiro.

Por muitos anos, a comunicação viveu da criatividade para campanhas que nos faziam rir, chorar, nos emocionar e até mesmo nos indignar com temas amplos e tocantes em mídias de massa como TV, rádio e meios impressos. Mas empresas e profissionais vivem de resultado. Resultados que são os mais diversos, de acordo com responsabilidades e habilidades de cada área e profissional.

Porém o entendimento ou a certeza de que as ações de marketing tinham o impacto esperado eram medidos por meios que até então eram inviáveis financeiramente para micro, pequenas e, em alguns casos, médias empresas – isso para não dizer que eram empíricos.

Com a chegada do recurso digital ao marketing, a diversidade de opções de mídias (pagas e não pagas) acessíveis trouxe a possibilidade de qualquer tamanho de negócio investir em marketing.

Além disso, o fator digital trouxe algo que impactou fortemente o setor da comunicação de forma inimaginável. Foi possível mensurar os resultados de alcance, impacto, respostas dos consumidores, vendas e crescimento. Ou seja, foi possível saber, de forma exata, quanto foi investido e quanto de retorno foi obtido com determinado investimento.

Era o início da aproximação de uma área completamente de humanas com a área de exatas.

Tecnologias capazes de capturar o comportamento dos usuários em sites como *web analytics* começaram a aparecer e mostrar várias informações, por exemplo, o número de visitantes em um site, quais páginas foram mais acessadas, entre outras métricas que se tornaram importantes para acompanhar e, principalmente, entender o sucesso ou fracasso de uma ação.

Os dados que você gera não importam,
mas sim o que você faz com eles.

Com a evolução do digital e da tecnologia, a forma de nos comunicar mudou e trouxe meios de gerar dados sobre o comportamento do consumidor. Hoje conseguimos criar ações em que todo o retorno sobre o investimento realizado pode ser mensurado e medido em tempo real com a resposta do consumidor, seja no resultado de vendas, seja por comentários sobre a opinião das pessoas em relação a uma determinada ação.

A definição real do marketing por dados ou *data driven marketing* será explorada nos próximos capítulos.

Vale ressaltar que muitos pensam que a orientação por dados resume-se somente a acompanhar resultados por meio de dados gerados. No entanto, não vejo dessa maneira, pois trata-se de muito mais do que apenas gerar dados e acompanhar resultados, como veremos adiante.

Segundo a definição mais comum, marketing por dados procura entender o comportamento dos usuários para obter insights e tendências, orientando-se por dados e números para então tomar melhores decisões em ações de marketing.

Você vai ouvir muito a respeito de big data quando estudar sobre marketing por dados, mas muitas vezes, principalmente no Brasil, não trabalhamos com big data, pois essa ferramenta envolve uma complexidade e organização a que ainda não estamos acostumados.

Este livro não é um manual definitivo ou a verdade soberana sobre marketing por dados e nem trará a fórmula perfeita de como se orientar por dados, mas é um guia de como você pode começar a trabalhar orientado por dados, que vai muni-lo para uma era do marketing que poucos estão preparados para enfrentar e lidar.

O marketing por dados permite que ações fiquem menos suscetíveis ao erro e a mudanças de rota à medida que os resultados vão aparecendo.

Já imaginou entender que determinada ação não está dando certo porque o direcionamento do seu público não está condizente com o esperado e, antes de perder dinheiro, corrigir a direção para voltar ao caminho certo? Isso é possível e factível.

Você não precisa mais esperar relatórios para saber se uma ação deu certo ou errado. Você pode acompanhar em tempo real o que está acontecendo.

Para tornar possível o trabalho de marketing por dados são requeridos três pilares: tecnologia, analytics e business. Cada pilar nos traz benefícios, características e atributos distintos, porém totalmente complementares.

Sem tecnologia, nada é possível no marketing por dados. Sem analytics, nada é transformado em informação. Sem business, nada podemos fazer com a informação.

Não dá mais para fazer marketing sem dados. Não podemos mais desperdiçar dinheiro e tempo em algo que simplesmente não trará resultado. Isso é suicídio.

Trazer dados para a mesa empodera qualquer situação, pessoa e empresa, gerando mais segurança e certeza sobre o que será feito.

Isso é o que vamos abordar nos próximos capítulos deste livro.

Prepare-se para começar a se aproximar da ciência e da análise de dados em marketing digital.

1

Economia dos dados

A ciência está transformando o comportamento humano em números mensuráveis, em dados analíticos para serem reutilizados e empoderar pessoas e empresas.

Existe uma lógica por trás do funcionamento e comportamento dos indivíduos – até hoje tratado de forma empírica –, e os dados estão derrubando muitos "achismos", trazendo desconforto para empresas e profissionais que usam da persuasão para convencer outras pessoas sobre suas teorias.

Vou citar uma situação como exemplo de como o marketing por dados pode e tem auxiliado empresas e profissionais.

O marketing digital foi um grande marco na história das empresas no mercado corporativo. Toda sua acessibilidade e diversidade de canais nos fez criar possibilidades que qualquer empresa teve a oportunidade de explorar.

Em contrapartida, temos tantas opções que ficamos perdidos no momento da escolha de qual canal e/ou estratégia precisamos focar.

Com o marketing por dados você não vai mais fazer escolhas devido à moda ou porque "todo mundo está fazendo" ou "todo mundo está naquela rede social".

Você toma decisões analisando e estudando o comportamento de seus consumidores e atua diretamente onde eles realmente estão.

Se manter presente não é estar
em todos os canais de aquisição ou redes sociais,
mas sim estar onde seus consumidores estão.

Esse *mindset* traz economia de tempo e dinheiro para qualquer empresa, e, sem dúvida, suas ações serão mais qualificadas, tendo maior assertividade na aquisição de clientes.

Atualmente, com apenas duas ou três redes sociais é possível descriptografar uma pessoa, ou seja, conseguir descobrir comportamento, perfil, interesses e saber quem são os melhores amigos, países e cidades para onde viajou (ou está viajando), onde trabalha e o que está estudando naquele momento.

Em 2017, no ID360 (um evento de tecnologia e análise de dados com foco em marketing digital), organizado por minha empresa, a Buscar ID, que acontece em Belo Horizonte (MG), fiz um experimento em minha palestra.

Descriptografei uma pessoa que estava na plateia para mostrar aos participantes como podemos descobrir coisas incríveis de pessoas com apenas duas redes sociais (fontes de dados).

Vou compartilhar aqui esse exemplo conservando a identidade dessa pessoa (de nome fictício Flávia), alterando alguns nomes e informações que encontrei, mas sem modificar a essência, para mostrar a você como e o que podemos descobrir das pessoas com apenas vinte, trinta minutos de pesquisa rápida.

Os primeiros elementos que coletei de Flávia para pesquisar nas redes sociais foram o nome, o e-mail e a empresa em que ela trabalhava. Esses dados foram obtidos na inscrição realizada no ID360, a que nós, da Buscar ID, temos acesso e utilizamos apenas para meios informativos do evento, previamente autorizados por todos os participantes (aliás, falaremos ainda no primeiro capítulo sobre a Lei Geral de Proteção de Dados Pessoais no Brasil).

Veja o que descobri:

Informações pessoais

Essa pessoa torce pelo Cruzeiro Esporte Clube de Belo Horizonte (MG) e tem Sorín, um jogador representativo no clube, como ídolo.

Tem estudado sobre o futuro da comunicação.

Adora viajar e, em 2013, fez intercâmbio de seis meses no Uruguai.

Viajou para Portugal em agosto de 2017 com a Maria.

Seu pai faz aniversário em 15 de abril e se chama Jorge.

Essa pessoa se sente privilegiada pelo emprego que tem.

Informações profissionais

É formada em relações internacionais pela PUC-Minas.

Trabalhou no Rock! and Hostel em 2015, de forma temporária.

Trabalha na Sympla desde maio 2016 e hoje é analista de inteligência de suporte.

Está buscando entender mais sobre ciência de dados e marketing por dados.

Essas são as informações que descobri de uma única pessoa e participante do ID360.

Como citei anteriormente, todo esse perfil foi descoberto com apenas duas fontes de dados, o Facebook e o LinkedIn. Havia o Instagram como terceira fonte, mas não foi necessário utilizá-lo.

Ótimo, tenho todas essas informações. Mas o que fazer com elas? O mais importante não é a informação que você tem em mãos, mas sim o que fará com ela.

Nesse caso, claro, não há muita utilidade, mas acredito que o objetivo de impressionar você e os participantes do evento tenha sido atingido.

Agora imagine que você tenha uma empresa ou esteja diretamente ligado(a) ao setor de vendas de uma empresa. Existe um conceito da psicologia chamado rapport, que se refere a você criar uma conexão ou sintonia com uma pessoa. Essa técnica tem sido muito utilizada em vendas para criar empatia entre vendedor e cliente.

Mas como posso usar isso com o exemplo de Flávia? Imagine que ela esteja em contato com um de meus vendedores solicitando um orçamento e, como estratégia, podemos usar as informações a respeito dela para criar sintonia e vínculo para deixar a venda mais agradável.

Estrategicamente, podemos utilizar a informação de que ela gosta de viajar e que está procurando se informar mais sobre marketing por dados para o vendedor criar o rapport e instigar uma conversa com esses assuntos, o que envolverá Flávia ainda mais e, posteriormente, dará início à venda.

Esse é um exemplo de como você pode começar a implantar marketing por dados em sua empresa imediatamente. E, claro, existem diversas formas de automatizar e ganhar agilidade nesse processo, sobre as quais vamos discutir ao longo do livro.

Compreendendo as possibilidades com os dados, somos empoderados e ganhamos uma vantagem competitiva em relação aos concorrentes por sermos mais estratégicos e assertivos, adicionando inteligência em praticamente tudo o que fazemos.

Empresas como Facebook, Google, Apple, Amazon e muitas outras são extremamente valiosas pelo valor de vendas. O maior ativo dessas empresas são os dados que elas são capazes de gerar e armazenar. Porém, mais uma vez, o maior valor está no que fazem com esses dados.

Pense comigo. O Google possui dados de comportamento de busca das pessoas, ou seja, tudo o que buscamos está armazenado, e a gigante de buscas nos conhece melhor do que nós mesmos.

Por meio de nossas buscas, localização, troca de mensagens por e-mail e agenda, o Google consegue prever quando vamos consumir algo, onde vamos estar e a probabilidade de fazermos algo. Enquanto o Google tem nossos dados de buscas, o Facebook armazena dados muito mais sensíveis sobre todos nós. A proprietária da maior rede social do mundo é detentora dos três maiores comunicadores do mundo (menos na China). Instagram, WhatsApp e, claro, o Facebook são de uma mesma empresa. Portanto, tudo o que você conversa e compartilha em qualquer uma das redes sociais é armazenado, e seu perfil é direcionado para que não apenas anúncios publicitários, mas também conteúdos que estejam de acordo com seu interesse e perfil sejam mostrados para você.

Dessa maneira, dificilmente você sairá da rede social, visto que todo o conteúdo que está em sua timeline lhe interessa. Por isso também você fica horas nas redes sociais diariamente e não vê o tempo passar.

Você já parou para pensar que todos os recursos do Google e do Facebook são gratuitos para o consumidor final (você)?

O gratuito é relativo. Na realidade, nenhum desses recursos é gratuito.

O jornalista americano Andrew Lewis conseguiu resumir da forma mais perfeita essa nova economia dos dados. Segundo ele:

> "Se você não está pagando
> pelo produto, você é o produto."

Isso mesmo, você é o produto. Quando você clicou no botão "Aceito os termos" de qualquer app ou recurso, autorizou a empresa a utilizar as informações geradas por você.

Todo e qualquer recurso que você utiliza na internet ou nos apps no celular que não custam um valor monetário gera e envia dados para as empresas o conhecerem melhor e disponibilizarem conteúdos condizentes com seu perfil e interesse, sejam eles publicitários ou orgânicos de outros usuários.

Essa é a personalização que todos nós precisamos, pois, caso contrário, ficaríamos loucos com a overdose de informação dos dias de hoje. No entanto, muitas pessoas sentem que perdem informações e acabam ficando frustradas.

Eu mesmo em determinado momento entre 2013 e 2014 me sentia frustrado por não conseguir ler tudo o que julgava interessante para minha carreira. Até um dia em que vi 62 abas abertas em meu navegador e comecei a entender que precisava filtrar o que realmente era importante e eu desejava ler.

A economia dos dados chegou para ficar, e é inegável que empresas e pessoas são beneficiadas de forma nunca antes pensada com publicidade e conteúdos mais assertivos.

Essa economia engloba tudo o que envolve dados, seja qual for o lugar de origem. Nos dias de hoje, o poder está para quem gera, armazena e transforma dados em informações úteis, ou seja, informações que permitirão a você tomar decisões. Se você tiver alguma informação em mãos e não puder fazer nada com ela, será inútil.

Estamos falando de dados, economia e informação. Mas, de fato, o que são dados?

Segundo a Wikipédia, "dados são um conjunto de valores ou ocorrências em um estado bruto com o qual são obtidas informações com o objetivo de adquirir benefícios". Qualquer coisa que saia de um ser humano são dados. Uma planilha, um documento em Word, uma escrita no papel, números, gravações, filmagens e fotos são dados.

E, neste momento, por meio do seu celular, você está gerando dados mesmo enquanto lê este livro. É possível que o Google ou o Facebook saibam pelo horário e dia que você está parado lendo um livro. Principalmente se em seu braço você tem um smartwatch. Nós geramos dados até dormindo, acredite.

Não é coincidência quando você conversa com alguém sobre um produto ou uma marca em um comunicador instantâneo, como o Messenger do Facebook ou o próprio WhatsApp, e, logo em seguida, conteúdos relacionados ao que foi conversado no aplicativo começam a aparecer – patrocinados ou não.

DADOS ESTRUTURADOS E DADOS NÃO ESTRUTURADOS

Agora que sabemos o que são dados e suas possibilidades (mesmo que nos deem certo medo), é hora de começar a entender um pouco as duas formas de dados existentes: os estruturados e os não estruturados.

Dados estruturados

Nesse formato de dado, como o próprio nome diz, existe uma mínima estruturação e os dados são organizados normalmente em planilhas e em bancos que seguem uma padronização para o armazenamento correto das informações.

Em resumo, os dados estruturados comumente seguem um padrão predeterminado por um sistema ou uma planilha para preenchimento.

Quando você preenche dados em um sistema, alguns campos, como os de telefone e e-mail, não permitem que você insira algum caractere inadequado, pois seguem um padrão de preenchimento, e, se você preencher errado, o sistema avisará que algo precisa ser corrigido.

Quando você salva ou envia os dados preenchidos, eles são armazenados em uma base de dados, mesmo que seja uma planilha. Portanto, dados estruturados seguem um padrão estruturado que é facilmente identificável.

Veja na Figura 1.1 um exemplo em que dados estruturados são utilizados:

Figura 1.1 Página de captação de dados oferecendo material gratuito

Fonte: Blog Marketing por Dados.

Esse é um típico exemplo de uma página de captura de informações para obter material gratuito, extraído do blog Marketing por Dados, da Buscar ID. Lembre-se: é gratuito monetariamente. O "custo" que você tem é o compartilhamento de seus dados.

No formulário pedimos: nome, e-mail, telefone, empresa, cargo, número de funcionários da empresa em que trabalha, e existe também um captcha para diminuir spam.

As respostas seguem para um banco de dados e, quando baixamos as informações dos usuários, aparece algo como:

NOME	E-MAIL	TELEFONE	EMPRESA	CARGO	N. DE FUNCIONÁRIOS
Thiago Vieira	thiago@empresa.com	31 9.9999-9999	Company	CEO	100 a 150
Débora Nascimento	debora@empresa.com	31 9.8888-8888	Empresa2	CMO	20 a 50

A estruturação permite uma organização para melhor entendimento das informações que estão na base de dados. Dessa maneira, o cruzamento dos dados fica mais simplificado, mas não necessariamente mais fácil, pois muitos dados vêm incorretos e inválidos.

Existem algumas estratégias para "forçar" o interessado em seu material a colocar os dados corretos. Assim você conseguirá transformar esses dados em informações úteis, como será discutido no Capítulo 6: "Estratégia de dados".

Alguns tipos de dados estruturados são arquivos CSV, XML e planilhas.

Dados estruturados são armazenados por bancos de dados relacionais em que os dados são organizados em tabelas, muito parecido como se faz em planilhas. Além disso, as tabelas que armazenam os dados são interligadas entre o que chamamos de chaves. Elas são responsáveis por criar a relação entre uma tabela e outra. Dessa maneira, a busca por informações solicitadas em uma consulta por um sistema ganha mais consistência.

Nas últimas três décadas, o avanço das tecnologias começou a gerar um volume imenso de dados e, dessa forma, os bancos de dados relacionais começaram a ficar lentos para processar tantas informações, principalmente as não estruturadas, como veremos em seguida.

Dados não estruturados

Dados não estruturados se referem a dados que não têm qualquer estruturação e precisam ser organizados de alguma forma (por humanos ou robôs) para que possamos compreender um grande volume de informações. Os dados não estruturados não são gerados em sistemas ou planilhas, mas sim em fontes de dados que não exigem uma organização para envio dos dados.

Alguns exemplos são redes sociais, celulares, tablets, websites, conversas em chats, entre outros.

Para ser mais exato e específico, alguns tipos de dados não estruturados são imagens, SMS, vídeos, postagens em redes sociais, dados de geolocalização, e-mails, arquivos de áudio, entre muitos outros.

Se não forem organizados, podem ser considerados dados não estruturados. Mas então onde eles são armazenados, visto que bancos de dados relacionais armazenam apenas dados que têm estruturação mínima?

Os dados não estruturados são armazenados em bancos de dados não relacionais, também chamados de NOSQL. Esse modelo de banco de dados oferece maior escala e flexibilidade, garantindo melhor performance no processamento dos dados, já que necessariamente não haverá organização prévia, e os dados, em vez de armazenados em tabelas, são mantidos por registros, ou seja, cada nova inserção no banco de dados é uma nova linha, sem exigir relações com outros registros, por exemplo.

Enquanto mostramos que em dados estruturados existe uma tabela com as informações guardadas, em dados não estruturados e bancos não relacionais as informações devem aparecer desta maneira:

```
db.clientes.save( {_id: 1, fones: ["93254-8267", "93418-9592"]})
```

Essa linha refere-se ao ID de um cliente, no caso "1", e seus telefones disponíveis no exemplo acima "93254-8267" e "93418-9592". Sendo que para acessar a informação basta saber o ID do cliente.

Dados não estruturados são mais complexos que dados estruturados, justamente por não terem organização prévia. Para trabalhar com esse formato de dado, é necessário, antes de gerar informações úteis, realizar um reconhecimento da base para compreensão das possíveis informações que podem ser geradas.

De forma prática, quando se faz uma busca no *search* do Twitter por qualquer assunto, aparecem vários tweets sobre o tema pesquisado. Você, minimamente, escaneia a página de resultados para ver em quais tweets encontrará o que busca.

Quando se tem um grande volume de dados vindos não apenas de uma única fonte de dados como o Twitter, mas também do Instagram, do WhatsApp e do Facebook juntos, é necessário criar uma organização de todo esse apanhado inicialmente, antes de gerar qualquer informação útil.

Da mesma maneira que você faz uma varredura para entender o que está sendo dito em uma busca no Twitter, como citamos há pouco, essa mesma varredura é realizada manualmente por pessoas que são responsáveis por organizar toda a informação de várias fontes de dados. Caso contrário, a chance de gerar informações erradas aumenta consideravelmente e, claro, os riscos de tomadas de decisões equivocadas aumentam também.

Veremos como a organização de dados não estruturados é realizada no Capítulo 5: "O método A.P.I.", em um processo de sete etapas de aplicação da ciência de dados.

Os bancos de dados não relacionais não apenas comportam grandes volumes de dados, mas permitem também um melhor formato de processamento das informações que ali estão.

Esses tipos de dados são utilizados normalmente em projetos que envolvem big data, ou seja, não apenas grandes volumes de dados, mas também cruzamento entre esses dados de várias fontes diferentes.

BIG DATA: O QUE É?

Há algum tempo no mundo da tecnologia o termo "big data" tem sido um *hype*, e muito se fala das possibilidades que esse conceito traz para as empresas.

As áreas que mais têm se beneficiado com o big data são saúde, indústria (as mais diversas), tecnologia e advocacia, tendo maior destaque a primeira, que tem feito descobertas espetaculares para doenças como o câncer, e tecnologias como a Watson, da IBM, têm contribuído fortemente para o desenvolvimento de pesquisas e estudos.

Mas, afinal de contas, o que é esse tal big data que está cada vez mais sendo utilizado no marketing?

Big data é um conceito que descreve o grande volume de dados estruturados e não estruturados que são gerados a cada segundo.

Para muitos isso é algo novo, mas mesmo antes de existir qualquer meio digital e/ou tecnologias computacionais, os dados já eram gerados. A diferença é que nos dias de hoje geramos muito mais dados com dispositivos como celular e TV. Além disso, temos as mídias sociais, que geram a todo tempo informações majoritariamente públicas. Hoje já é realidade a existência de carros, geladeiras e dispositivos vestíveis (*wearable devices*) conectados entre si e gerando ainda mais dados para serem processados e transformados em informações úteis.

O diferencial do big data está atrelado à possibilidade e à oportunidade de cruzar esses dados por meio de diversas fontes para obter insights rápidos e preciosos. A exigência dos consumidores e o aumento da competitividade em todos os mercados nos forçam a inovar e ter esse caminho como premissa básica nos negócios.

A essência do conceito está em gerar valor para pessoas e negócios. Quanto mais dados temos, maior o esforço de processamento para gerar informações. Sendo assim, a velocidade para obter a informação faz parte do sucesso que o big data pode proporcionar em sua empresa.

Porém, é muito importante enfatizar que o valor do big data não está na quantidade de dados gerada, mas sim no que as empresas fazem com os dados gerados. Isso que realmente importa.

Utilizando termos mais técnicos para explicar o big data destacam-se os famosos "Vs".

Inicialmente, o conceito foi contemplado por três Vs, que são volume, velocidade e variedade. Mas temos também os Vs de veracidade e valor, que foram adicionados alguns anos depois da criação do big data.

A seguir, há uma breve explicação sobre cada um:

Volume: já falamos bastante por aqui sobre o volume de dados gerados a cada segundo. O primeiro V refere-se exatamente a essa quantidade de dados com a qual o big data lida. Quando falamos de quantidade, nos referimos à megabytes, gigabytes, terabytes, petabytes etc.

Variedade: quanto mais dados e fontes, maior é a complexidade para trabalhar os dados, mas também maiores as possibilidades que temos de gerar informação útil. Por isso a variedade de dados é tão importante. Aqui, é bom dizer que chamamos de fontes de dados os locais onde os dados são armazenados, portanto ferramentas como Google Analytics, RD Station, Facebook e apps como o WhatsApp são exemplos disso. Variedade está nos formatos de dados, como tabela, banco de dados, texto, imagem, áudio, vídeo, mobile e dados não estruturados.

Velocidade: a velocidade é um dos grandes desafios do big data. Devido ao grande volume e à variedade de dados, todo o processamento deve ser ágil para gerar as informações necessárias. É essencial gerar informação com a maior agilidade possível para que as tomadas de decisão sejam efetivas. Velocidade se refere ao tempo de atualização das informações geradas e que podem ser atualizadas por lote, ou seja, são enviados lotes de arquivos em um tempo definido. Há ainda a definição periódica em que se escolhe de quanto em quanto tempo as informações devem ser atualizadas, quase em tempo real.

Veracidade: a veracidade está ligada diretamente a quanto uma informação é verdadeira. O emaranhado de dados pode nos confundir, por isso todo cuidado é pouco para obtermos a veracidade dos dados e das informações geradas.

Valor: o último V é o valor. Se você direcionou esforços para gerar uma informação que não serve para nada, o valor do trabalho realizado será perto de zero, portanto precisamos entender muito bem o contexto e a necessidade para gerar a informação certa para as pessoas certas. Por isso falamos tanto em "informação útil".

Chamamos de informação útil o que nos permitirá tomar decisões por meio da informação gerada, ou seja, a informação que seja capaz de gerar uma ação. Uma simples informação pode ser interessante para criar contextos. Vou citar um exemplo de informação útil.

Suponha que ainda não tenha comprado certo livro e tenha visto algo sobre o lançamento dele. Achou o tema interessante e foi buscar informações a respeito, para tomar a decisão de comprá-lo ou não.

Você achou interessante, mas nada que ainda tenha o convencido a tomar a ação de comprar.

Aprofundando um pouco mais suas pesquisas, você descobriu que no lançamento foram vendidas mil cópias e que várias outras pessoas leram e estão indicando o livro como obrigatório para qualquer profissional de marketing e que um grande nome do marketing digital brasileiro também o indicou. Imagine então que essas informações tenham convencido você a adquirir o livro.

Uma simples informação foi saber sobre o lançamento desse livro e o que ele aborda.

A informação útil foi saber que foram vendidas mais de mil cópias no lançamento e que várias outras pessoas, além de um grande influenciador do marketing digital brasileiro, indicaram o livro como obrigatório para profissionais de marketing, e isso lhe fez tomar a decisão de adquirir o livro.

Voltando então ao big data, gosto de definir o termo como a pluralidade de fontes de dados disponíveis.

Uma representação gráfica que será mostrada na Figura 1.2 resume muito bem o que falamos sobre big data e que faço questão de compartilhar com você, pois é de uma das grandes referências em ciência de dados que temos atualmente, a Cappra Data Science.

O big data ainda é pouquíssimo utilizado por empresas brasileiras, pois exige algo para o qual poucas (para não dizer todas) se prepararam ou se organizaram para dominar.

Figura 1.2 Big data

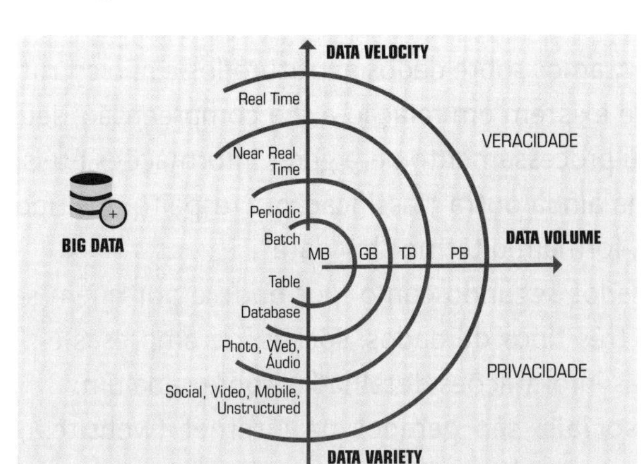

Fonte: Cappra Data Science.

Muitas empresas ainda não tentaram utilizar o big data por falta de conhecimento sobre o tema, mas em vários projetos de que já participei e tive o privilégio de conhecer, na maioria dos casos, o grande problema não estava em investimento ou tecnologias inacessíveis, mas sim em não ter dados organizados, considerando o básico para se trabalhar com big data. Vamos abordar melhor esse assunto no Capítulo 4: "Conhecimento dos dados".

Vemos muitos casos de empresas como Google, Facebook, Apple, Amazon, entre outras, com grande sucesso na utilização do big data, e parece que apenas gigantes da indústria conseguem trabalhar com essa ferramenta. Isso acontece porque essas empresas são vanguardistas e se prepararam para trabalhar com grande volume de dados, até porque o negócio delas é exatamente criar informação útil com os dados gerados. Mas qualquer empresa pode trabalhar com big data, desde que saiba o que quer e tenha as fontes corretas dos três tipos distintos de dados, como as gigantes de tecnologia fazem com maestria.

Tipos de dados

Já comentamos sobre dados estruturados e não estruturados e os desafios que existem em relação a sua compreensão, seu armazenamento e seu processamento para gerar informações úteis.

Porém há ainda outra classificação a respeito dos tipos de dados que, juntos, formam o termo "big data".

Classificados segundo como, por onde e por quem são gerados, trata-se de três tipos de dados: sociais, de empresas e pessoais. Na sequência, as informações detalhadas sobre cada um:

Dados sociais: são gerados na internet (websites), nas redes sociais, por meio de dados demográficos, dados comportamentais e dados obtidos em grupos focais e individuais para realização de pesquisas.

São dados basicamente oriundos das pessoas e de informações que decifram comportamentos. Ou seja, aqui conseguimos identificar perfis para trabalhar de forma mais direcionada. Por exemplo, quando temos dados de como as pessoas realizam buscas no Google e o que elas comentam nas mídias sociais.

Dados de empresas: esse tipo se refere àqueles gerados dentro da empresa, ou seja, dados próprios normalmente gerados pelo RH, pelo financeiro, por sistemas ERPs com informações da empresa, pela produção, pela logística, entre outros. São dados da empresa que podem ser trabalhados para melhorar processos e qualidade em toda a organização.

Algumas instituições negligenciam esses dados, mas eles podem ser essenciais para medir a produtividade das equipes e revelar alguns gargalos em processos ou em toda a empresa.

Dados pessoais: apesar de parecer que dados pessoais são dados sensíveis, isso não é verdade.

Dados pessoais se referem àqueles gerados por smartphones, dispositivos vestíveis (como smartwatchs), geladeiras, TVs etc.

Esse tipo de dado ainda é novidade, principalmente aqui no Brasil. Hoje é possível, por exemplo, obter informações do Waze ou do Google Maps para gerar relatórios sobre o trânsito em tempo real e alimentar painéis eletrônicos em toda a cidade, facilitando a vida de motoristas com informações atualizadas.

O cruzamento desses três tipos de dados é o que proporciona a geração de informações cruciais para o negócio. Porém é preciso ter cuidado. Na mesma proporção que ganhamos diversas possibilidades de melhoria e assertividade, podemos nos perder no mar de dados disponível.

Apesar da grande visibilidade e aparição do big data, pequenas, médias e grandes empresas têm muito o que aproveitar de outro mecanismo que ainda não é muito explorado, mas que, amanhã, poderá ser bastante útil. Abordaremos ele no próximo tópico.

Small data

Enquanto o big data se torna o grande interesse de muitas empresas e profissionais, o small data aos poucos ganha protagonismo, pois se torna um pouco mais palpável e realista para empresas e setores de marketing.

Quem cunhou o termo "small data" foi Martin Lindstrom, após realizar pesquisas por muitos anos em mais de 2 mil domicílios em 77 países diferentes.

De acordo com Martin,[1] que caracteriza muito bem o small data, "a forma como colocamos nossos sapatos, organizamos nossa geladeira, penduramos nossas pinturas ou até mesmo usamos papel higiênico são todos small data, que têm o potencial de revelar um espantoso vislumbre de quem realmente somos, nossas verdadeiras personalidades, nossas necessidades, desejos e esperanças. No nível individual, o small data pode revelar se você é extrovertido e

[1] Disponível em: <https://www.quickanddirtytips.com/productivity/learning/3-ways-small-data-can-uncover-big-trends>. Acesso em: 16 set. 2019.

autoconfiante, se é tímido com relação à falta de educação ou se tem conflitos com seu parceiro. Eles também provaram ser capazes de determinar sua verdadeira idade".

O small data não está tão em voga quanto o big data, mas muitas empresas já podem começar a trabalhar com esse conceito e nem imaginam o quanto ele pode ser essencial para se orientar por dados.

Small data são dados "pequenos" o suficiente para a compreensão humana em volume e formato que os tornam acessíveis, informativos e acionáveis.

Em outras palavras, small data traz para as pessoas percepções significativas, organizadas de maneira acessível e compreensível, sem exigir o uso de sistemas tecnológicos necessários para lidar com grandes volumes de dados.

Para o marketing, a utilização do small data se torna factível por não exigir tanta tecnologia nem investimentos fora do planejado.

A essência da filosofia do termo mostra que aplicativos e ferramentas são simples o suficiente para os profissionais de marketing que não são cientistas de dados obterem as informações de que precisam, com a precisão necessária para fornecer insights e respostas sobre o comportamento dos consumidores.

Enquanto no big data descobrimos correlações, ou seja, quando alguma coisa ocorre, outra tem uma correlação ou dependência com esse acontecimento, o small data traz as causas e as razões do acontecimento.

O trabalho com big data exige o envolvimento e o cruzamento de diversas fontes secundárias e terceiras, isto é, fontes externas às empresas.

Com small data, apenas com dados proprietários já conseguimos obter insights extremamente ricos e capazes de mudar o panorama de uma empresa, uma ação e um produto.

Pesquisas com clientes, aplicativos para celulares, dados de *web analytics*, compras de mídia self-service, redes sociais e dados que a empresa detém de RH e logística são o maior ativo para o small data. São dessas fontes que conseguimos extrair dados de forma simples para gerar grandes insights para tomar decisões e promover ações.

Uma aplicação real do small data está em grupos focais realizados normalmente para entender a preferência dos consumidores, muito utilizados por empresas de varejo, produtos e governos há muitos anos.

Como já citei por aqui, orientar-se por dados não é uma novidade do século XXI, mas sim as transformações e as tecnologias disponíveis que tornaram acessíveis o trabalho com dados.

TECNOLOGIA COMO PROPULSORA DOS DADOS

Não estaríamos falando sobre análise de dados em marketing neste livro se não fosse a tecnologia digital disponível atualmente.

No entanto, como mencionado em algumas passagens anteriores, o que realmente importa é o que você faz e é capaz de gerar com os recursos que a tecnologia lhe proporciona.

De que adianta você ter milhões de acessos em seu website, ter implementado ferramentas espetaculares de mensuração do comportamento dos consumidores para monitorar seus passos e explorar apenas a informação de quantos acessos tem por mês?

Mapas de calor, *web analytics* que mensuram os passos dos consumidores em sites e ambientes físicos, CRM e inteligência artificial (IA) não são viáveis e úteis se não forem bem explorados e utilizados.

Sem sombra de dúvidas, a tecnologia é uma grande propulsora do marketing por dados, pois ela nos permite ir além de informações quantitativas e estatísticas (números), mostrando informações qualitativas. Assim conseguimos, por exemplo, entender e mapear o comportamento de nossos consumidores.

Com toda a abundância tecnológica, a visão de negócios tem sido essencial para filtrar o olhar contaminado pelo viés e pela emoção que o marketing naturalmente traz.

E a exigência por qualificação não apenas em marketing e suas atividades vai além de *skills* especializadas. Estamos falando de profissionais híbridos, que também trazem outras competências enriquecedoras para sua atividade principal.

Profissionais híbridos

Profissionais híbridos são especialistas que detêm conhecimentos diversos que não estão relacionados apenas à sua área de atuação ou especialização.

O hibridismo em profissionais tem sido um grande diferencial competitivo, e a demanda por esse tipo de profissional está em alta no mercado de trabalho, principalmente para as áreas de marketing e tecnologia.

O profissional híbrido traz diversas habilidades complementares, correlatas e/ou afins de outras áreas e pode ser caracterizado como uma pessoa com multipotencial. Sua visão sistêmica do negócio aumenta as possibilidades de solução para os desafios enfrentados no cotidiano das empresas.

Normalmente, essas características são atribuídas a CEOs que precisam ter uma visão macro da empresa para então criar os melhores direcionamentos do negócio.

Esses conhecimentos complementares geralmente são adquiridos em cursos livres e extensões de curta duração (alguns dias e, em alguns casos, no máximo alguns meses).

O hibridismo é similar e tem relação direta com um conceito chamado *T-shaped professional*.

Explicando rapidamente, a ideia faz referência ao formato da letra "T", composta por um eixo vertical e outro horizontal.

O eixo vertical se refere ao domínio de uma área específica, como marketing, e o eixo horizontal são habilidades que se relacionam diretamente ou indiretamente à área de especialização.

Profissionais *T-shaped* são multidisciplinares e capazes de responder criativamente a demandas que surgem repentinamente em decorrência das transformações de cenários e mercados baseados em *skills* diversas.

Existem algumas representações gráficas muito interessantes que ilustram bem profissionais *T-shaped*. Normalmente, essas são divididas em profissionais por áreas, e aqui vou abordar, claro, a do *T-shaped web marketer*, ou seja, a do profissional de marketing.

A empresa que melhor traduz e mostra quais habilidades o profissional de marketing precisa ter para se destacar no mercado é a Growth Tribe. Ela faz uma pesquisa anual para entender o que outras companhias estão exigindo de profissionais e compartilha essas informações para seus leitores acompanharem a evolução mercadológica e, principalmente, para que possam evoluir com as exigências do mercado.

Apenas para você ter um parâmetro de comparação, veja como era a multidisciplinaridade de um profissional de marketing em 2013 na Figura 1.3.

Figura 1.3 Habilidades exigidas do profissional de marketing em 2013

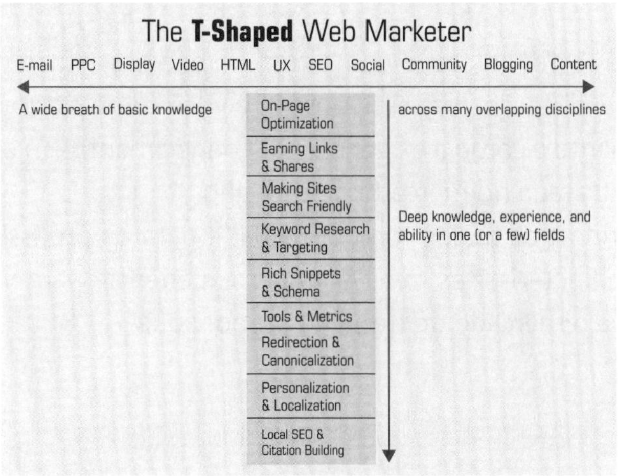

Fonte: Moz.

A exigência já era relativamente alta, porém estava muito mais relacionada a canais de aquisição e habilidades de conteúdo. As habilidades que saem do comum de um profissional de marketing é HTML e UX (*user experience*).

A Growth Tribe compartilhou as habilidades necessárias para o profissional de marketing em 2019. Veja na Figura 1.4 a diferença de habilidades complementares exigidas de um profissional de marketing e compare às de 2013.

Figura 1.4 Habilidades exigidas do profissional de marketing em 2019

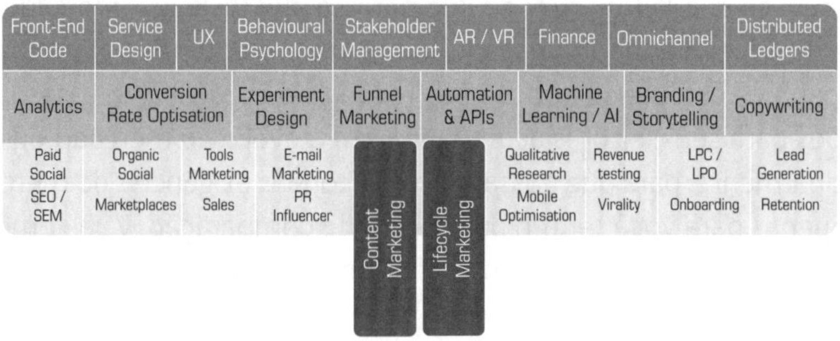

Fonte: Growth Tribe.

O objetivo de mostrar o conceito *T-shaped* neste livro não é aprofundar sua explicação, mas sim mostrar a você como estamos evoluindo rapidamente e como a exigência por conhecimento em outras áreas está sendo tratada no mercado de trabalho.

Ser híbrido traz maior competitividade para os profissionais, pois ainda são características raras e requer experiência para vivenciar os desafios que o mercado de trabalho proporciona.

DESAFIOS DO PROFISSIONAL DE MARKETING

Em toda a minha carreira, conheci diversos tipos de profissionais, híbridos e não híbridos, e não ter essa característica não é algo negativo, pois permite que o profissional foque mais sua especialização e se torne único por isso.

Porém, sendo híbrido ou não, uma característica comum entre os profissionais de marketing – principalmente no digital – é a não familiaridade com a tecnologia.

Acredito que a combinação entre o conhecimento e a boa utilização das tecnologias disponíveis seja ainda um grande desafio para os profissionais de marketing, independentemente de sua especialização.

O conhecimento em tecnologia se tornou obrigatório para profissionais de marketing por trazer não apenas facilidades para o trabalho, mas principalmente maior inteligência e agilidade.

Quando digo conhecimento em tecnologia, não me refiro à operação em plataformas self-service, como Google Ads, Facebooks Ads e *web analytics*, como Google Analytics. Isso é básico. Refiro-me a ter "tecnologia na veia".

É ter mentalidade tecnológica a ponto de encontrar soluções para ganhar agilidade em tarefas rotineiras e, principalmente, usar recursos que possibilitam obter dados e informações que irão nos ajudar a tomar decisões e sermos mais assertivos em nossas ações, criando maior embasamento e exatidão no planejamento de estratégias.

O *mindset* voltado para tecnologia se refere a utilizar recursos para coisas mínimas, desde analisar a melhor foto para ser postada nas redes sociais até a utilização de automações mais avançadas.

Em termos práticos, não estou dizendo para utilizar inteligência artificial para avaliar sua foto. O site Photofeeler é um exemplo de como você pode saber se sua foto está adequada em mídias sociais como o LinkedIn, ou seja, se a foto utilizada é a melhor de acordo com o objetivo a se atingir na rede social.

O Photofeeler não utiliza inteligência artificial, mas é uma plataforma que conecta outras pessoas que você não conhece para avaliar suas imagens a partir de três objetivos classificados por você: business, *dating* e social. Isso mesmo. Você pode avaliar três fotos diferentes, cada uma para um objetivo com critérios específicos. Quando você adiciona uma foto no LinkedIn, por exemplo, para saber se ela está adequada, os critérios a serem avaliados são se em sua foto você transmite competência, simpatia e influência.

Já os perfis com objetivos de namoro e de fins sociais têm outros critérios a serem avaliados pelos usuários da plataforma.

Isso é ter mentalidade tecnológica e utilizar recursos para otimizar e embasar melhor suas ações. Mas existe uma linha tênue. É preciso tomar cuidado para não criar um vício e ficar dependente da tecnologia.

Em alguns casos, a tecnologia se torna tão essencial que, caso nenhuma solução seja encontrada para resolver determinado desafio, pessoas criam um bloqueio a ponto de não encontrar nenhuma outra solução paralela que não exija recurso tecnológico.

Portanto, cuidado para não se tornar dependente da tecnologia e, em alguns momentos, prender-se mentalmente por não tê-la ou não encontrar alternativas que auxiliem suas atividades.

O MOMENTO EM QUE VIVEMOS

A economia dos dados está nos trazendo desafios enormes que nos tiram de nossa zona de conforto.

Mas toda a história da humanidade se traduz nessa característica de aprendermos e desafiar a capacidade e habilidades de nossas carreiras.

Ao analisarmos a história da humanidade, notamos três momentos marcantes com a tecnologia nas últimas décadas, ou talvez nos últimos cem anos. Trata-se da era industrial, da era da informação e da era dos algoritmos.

Na era industrial, máquinas realizavam o trabalho pesado que os seres humanos costumavam fazer (veja a tecnologia contribuindo para ganharmos agilidade).

A era da informação trouxe um volume de informação imenso para consumirmos, sendo humanamente impossível se manter 100% atualizado a respeito de qualquer cenário, visto que a geração de informação é extremamente acelerada. Dessa maneira, as máquinas coletam e armazenam a informação em uma velocidade muito maior do que seríamos capazes como seres humanos.

E, por último, há a era dos algoritmos, em que máquinas inteligentes autônomas tomam decisões, mesmo que pequenas e/ou não muito expressivas.

Um exemplo claro disso está na compra de mídia programática. Uma das utilidades desse campo está justamente relacionada a ter uma inteligência artificial capaz de aprender, por meio do comportamento dos consumidores, quais ações (anúncios, segmentações etc.) têm mais tendência em converter para seu objetivo final (vendas, download de materiais, visibilidade etc.). A IA é necessária devido ao volume de dados gerados por nosso comportamento.

Se refletirmos, as eras ou os momentos citados, de alguma forma, substituíram o que antes era feito por seres humanos, entregando mais agilidade e qualidade nos serviços.

E justamente por meio dessa reflexão sempre vem a famosa pergunta: "Perderei meu emprego e serei substituído(a) por um robô?".

Talvez a resposta mais prudente para essa pergunta seja dizer que, se você faz trabalhos rotineiros e repetitivos, a probabilidade de sua atividade ser realizada – em pouco tempo – por um robô é alta. Diversas atividades, como telemarketing, empacotamento de produtos (em centros de distribuição), transporte de carga (a Uber já transportou carga com um caminhão autônomo, por exemplo), entre outras, que antes exigiam muito tempo e dedicação humana, já estão sendo executadas por robôs. Mas repare que, até aqui, em momento algum falamos que um ser humano perdeu emprego ou foi substituído por robôs. A atividade das pessoas pode ser substituída, mas as PESSOAS não.

Com todo o avanço da tecnologia houve perdas de emprego sim, mas não pelo simples fato de robôs serem criados.

Trazendo a discussão para essa óptica, o capital e o intelecto humano estão se destacando e se valorizando a cada avanço tecnológico. Por isso, podemos dizer que, entre a era da informação e a dos algoritmos, existe uma capacidade (e não era) de que precisamos nos apropriar com muito afinco, pois é nela que está todo o diferencial de qualquer ser humano em todo o planeta Terra: a inteligência.

O valor de qualquer ser humano está em sua mente. Pensamentos, conhecimento e experiência são o que realmente geram valor. Portanto, podemos dizer que entre a era da informação e a era dos algoritmos está a inteligência, que contribui para que informações e algoritmos tenham seu devido significado e sejam úteis para a humanidade. Essa é a verdadeira utilidade da tecnologia para todos nós.

A tecnologia nos dá agilidade e eficiência.
O fator humano nos dá eficácia e inteligência.

Se não tivermos inteligência para explorar as facilidades e a contribuição que a informação e os algoritmos nos trazem, ambos ficarão inutilizados e de nada servirão suas criações.

São três os tipos de inteligência que trazem o verdadeiro significado para a informação: a artificial, a analítica e a emocional.

O Capítulo 2 abordará mais sobre inteligência artificial, portanto neste momento focaremos a inteligência analítica.

Inteligência analítica se resume a transformar dados em informações úteis. Unindo conhecimento e experiência, como humanos, somos capazes de trazer análises inteligentes para que possamos tomar decisões acertadas.

Por isso, cada vez mais, conhecimento e experiência são valorizados no mercado de trabalho. O profissional que entender o cenário mercadológico e absorver que o futuro está em nossa mente e não em nossos braços terá destaque muito rápido e, o mais importante, será valorizado por muito tempo no mercado.

O futuro está em nossa mente,
não em nossos braços.

Se posso afirmar algo neste livro, é que todo profissional deve se dedicar cada vez mais a exercitar a mente de diversas maneiras, não apenas estudando.

E aqui entra a inteligência emocional. Existem estudos variados demonstrando que a diversificação de atividades tanto para a mente quanto para o corpo contribui para o nosso bem-estar, o que traduz como precisamos estar para enfrentar os desafios do cotidiano.

Dessa maneira, faça exercícios, leia muito (não apenas livros técnicos, mas também de ficção e não ficção), jogue videogame e jogos de tabuleiro, relacione-se, vá a eventos diversos e, principalmente, conheça muitas pessoas.

Parece loucura eu dizer isso em um livro que aborda marketing por dados, mas não é. Vamos fazer um rápido paralelo ao tema de dados.

Quanto mais você exercita a mente, mais dados você gera, maior capacidade e amplitude terá para encontrar soluções simples para problemas complexos. Lembre-se do profissional híbrido ou *T-shaped*. O conhecimento em várias áreas e atividades não necessariamente relacionadas à sua especialidade traz riquezas para a resolução de problemas.

O capítulo está chegando ao fim e quero mostrar, de forma prática, a importância de um conhecimento amplo e diversificado. Quando você imaginaria que trabalhando com marketing digital (e agora com dados) seria necessário ter conhecimento jurídico?

Com tantos dados sendo gerados, há alguns anos surgiu a necessidade de entender o quanto toda a geração de dados e seus cruzamentos não infringiam nossa privacidade como consumidores.

RGPD E LGPD

Por meio das discussões sobre geração e captação de dados, surgiu o Regulamento Geral sobre a Proteção de Dados (RGPD). O RGPD é uma regulamentação do direito europeu sobre a privacidade e a proteção de dados pessoais, que se aplica individualmente aos cidadãos europeus.

Basicamente, é um regulamento que protege a utilização de dados pessoais que são captados por empresas.

O RGPD, que entrou em vigor em 25 de maio de 2018, possibilita que qualquer cidadão europeu e/ou residente tenha formas de controlar a utilização de seus dados pessoais, permitindo que seja solicitado pelo consumidor todo e qualquer dado que uma empresa possui daquele indivíduo, o que muda completamente a forma como o trabalho com dados é feito atualmente – e isso já pode ser observado na Europa.

No Brasil, foi aprovada a Lei Geral de Proteção de Dados Pessoais (LGPD), que segue a mesma premissa da RGPD.

A lei foi sancionada pelo presidente Michel Temer em 14 de agosto de 2018 e inicialmente teria efeito dezoito meses após a sua publicação oficial, ou seja, começaria a valer em 14 de fevereiro de 2020, porém, com as alterações realizadas pela Medida Provisória n. 869, de 27 de dezembro de 2018, o prazo foi prolongado e a lei entrará em vigor em agosto de 2020, conforme o Artigo 1º da Lei de Introdução às Normas do Direito Brasileiro.

Isso significa que qualquer empresa que armazene dados sensíveis[2] precisa se adaptar à LGPD até agosto de 2020.

Não vou aprofundar o assunto, pois não é o tema principal do livro, mas é de suma importância que você se informe sobre a LGPD para começar a trabalhar com dados.

RESUMO DO CAPÍTULO 1

- Aprendemos que a economia dos dados é muito ampla, e eu poderia escrever um livro inteiro abordando apenas esse tema.

- Entendemos como podemos nos empoderar com os dados e como big data e small data podem contribuir em suas devidas proporções em nosso trabalho e nossas empresas. Além disso, vimos que a tecnologia não é nada sem seres humanos qualificados em áreas diversas, enriquecendo o trabalho e promovendo soluções de problemas.

- Observamos ainda que o momento em que estamos vivendo exige muito mais de nossa mente do que de nossos braços e que o real valor dos profissionais dos dias de hoje está em explorar o fator humano para gerar eficácia e inteligência.

[2] São considerados dados sensíveis: dados pessoais que revelem a origem racial ou étnica, opiniões políticas e convicções religiosas ou filosóficas; filiação sindical; dados genéticos, dados biométricos tratados simplesmente para identificar um ser humano; dados relacionados com a saúde; dados relativos à vida sexual ou orientação sexual da pessoa.

2

Tecnologias disponíveis

É sabido que a tecnologia foi uma importante propulsora da geração de dados e nos dá agilidade em processos e rotinas repetitivas, além de nos ajudar na mensuração dos resultados das ações de marketing. Porém um desafio comum entre profissionais e empresas é entender qual(ais) tecnologia(s) é(são) necessária(s) utilizar e até que ponto sua utilização não se transforma em mais um problema do que solução.

Na Buscar ID já realizamos diversos projetos em que empresas tinham grande volume de tecnologia e/ou ferramentas disponíveis – pagas ou gratuitas –, mas não utilizavam 5% do verdadeiro potencial que poderiam explorar.

Passamos a perceber que não era apenas comum, mas da cultura do profissional de marketing digital – ao menos no Brasil – ter muitas ferramentas para justificar determinado investimento de marketing alocado, e, por ocorrerem muitas novidades a todo momento, essa atitude seria uma forma de mostrar que a empresa estava sempre atualizada.

O marketing digital trouxe diversas inovações, permitindo muitas possibilidades no mercado. É natural então que a empolgação, o deslumbre e o fascínio por tantas oportunidades proporcionadas pela tecnologia tomem conta de nossas emoções.

Tivemos – e ainda temos – uma geração de profissionais brasileiros que denomino de profissional "tecniquês" e ferramental. São pessoas que se preocupam muito mais em entender as técnicas e os recursos das ferramentas do que aquilo que podem proporcionar ao marketing. São profissionais de marketing digital que focam apenas o digital e se esquecem do "marketing", ou seja, a essência do conceito criado por Philip Kotler.

É uma geração que tenta trazer mais tecnologia para justificar seus resultados, porém, felizmente, isso não acontece.

Felizmente, porque, se o resultado aparecesse pelo simples fato de utilizar novas tecnologias, não teríamos valor como seres humanos, e seria muito fácil.

Tecnologia e/ou ferramenta é meio, não fim. Se não houver cuidado ou critérios claros para escolher o que será utilizado ou contratado, não tenha dúvidas de que ocorrerá perda de dinheiro, e, claro, todo bom profissional quer entregar o melhor retorno sobre qualquer investimento realizado.

TECNOLOGIAS À NOSSA DISPOSIÇÃO

As possibilidades são abundantes em todos os sentidos. Da mesma forma que existem diversas categorias para a solução de alguns problemas, existem várias opções de tecnologias ou ferramentas.

Minha intenção é listar nas próximas páginas quais são as tecnologias e ferramentas[1] mais utilizadas por empresas, startups e scale-ups que crescem rapidamente.

[1] É importante dizer que muitas ferramentas citadas até a escrita deste livro ainda estavam ativas. No entanto, pode acontecer de no momento de sua leitura alguma não existir mais.

AUTOMAÇÕES DE MARKETING

A automação ganhou notoriedade quando o trabalho de marketing iniciou a escala de aquisição de contatos por empresas, em 2010.

Com o grande crescimento de bases de contatos e o acúmulo de tecnologias para gerir as ações espalhadas de marketing em sites, redes sociais e ferramentas de e-mail, foi necessário o auxílio de mecanismos para organizar, automatizar, centralizar e minimizar erros com envios de notificações diversas.

Automação de marketing é o uso de tecnologias para automatizar ações de marketing, reduzindo, assim, trabalhos rotineiros e otimizando o tempo dos profissionais, além de gerar maior eficiência em suas ações.

Por meio da utilização de softwares e outras tecnologias, a automação permite trabalhar em escala na gestão, nutrição e no avanço dos contatos desde o primeiro contato com a empresa até a aquisição de seu produto ou serviço. A tecnologia em si não é nada sem uma estratégia bem-feita e orquestrada.

Por algum tempo, ferramentas de automação de marketing foram confundidas com ferramentas de e-mail marketing, mas, claro, apesar de existirem similaridades, são completamente diferentes.

Ferramentas de automação de marketing, comumente, têm recursos como automações de fluxos de e-mails, simples envio de e-mail, agendamento de posts para redes sociais, relatórios diversos, Lead Scoring, Lead Tracking, segmentação ou filtragem de leads, criação de landing pages, criação de formulários, pop-ups e análises básicas de *search engine optimization* (SEO), a otimização dos mecanismos de busca, em seu site.

Existem ferramentas que são mais completas que outras, com custo-benefício de acordo com cada utilidade e tamanho de empresa.

Mas acredito que agora você consiga perceber a diferença entre uma automação de marketing e a ferramenta de envio de e-mails.

Algumas ferramentas de automação de marketing que você pode pesquisar e a partir delas entender mais sobre esses recursos são:

HubSpot, SharpSpring, ActiveCampaign, RD Station Marketing, Dito, Mautic, Marketo, Infusionsoft e Leadlovers.

RD Station, Leadlovers e Dito são ferramentas brasileiras, portanto, sem dúvida, têm sua representatividade, pois entendem melhor nosso mercado. Porém isso não desqualifica os outros dispositivos citados.

CUSTOMER RELATIONSHIP MANAGEMENT (CRM)

Antes de explicar o que é CRM, é importante dizer que existem dois significados para o termo. O primeiro é o conceito de que CRM são estratégias com foco no cliente que envolvem alguns setores da empresa, como marketing, vendas, suporte, pesquisa etc.

O segundo trata de tecnologias criadas para gerenciar todo o relacionamento do cliente na empresa, abrangendo seu histórico de atividades, e são utilizadas comumente por setores de vendas. A partir de agora, vamos focar a tecnologia/ferramenta.

Não existem estratégias de CRM sem uma ferramenta de CRM e vice-versa. Caso você utilize uma ferramenta de CRM sem uma estratégia clara, a chance de não obter sucesso aumenta. Não seria audácia da minha parte dizer que seria impossível executar uma estratégia de CRM sem uma ferramenta.

Mas o que uma ferramenta de CRM faz?

Para facilitar, imagine a área de vendas de uma empresa (pode ser a sua). Empresas têm vários contatos de interessados em seus produtos e serviços, certo? A ferramenta de CRM faz os registros das atividades e ações do consumidor com o vendedor ou das atividades do vendedor com um consumidor interessado.

O objetivo de registrar praticamente cada passo é manter um relacionamento próximo e sempre entender as necessidades do consumidor sobre sua empresa e evitar, por exemplo, que um contato seja realizado por diversos vendedores com a mesma pessoa sem saber que ela já foi contatada e não quis comprar de sua empresa ou, pior, correr o risco de tentar vender uma promoção para alguém que já é cliente.

Além disso, uma ferramenta de CRM ajuda a organizar as etapas de seu funil de vendas, facilitando para o vendedor o entendimento de em qual etapa um possível cliente está em sua jornada de venda.

Pense que um mesmo vendedor tem contato com cinquenta pessoas no mês para vender dez contratos, por exemplo.

Fica difícil lembrar de todos eles e do que foi conversado. Se fizermos uma conta do total de contatos por trimestre, esse vendedor terá contatado 150 pessoas ao final de noventa dias para fechar trinta contratos. Alguns processos de venda são longos e podem ser finalizados apenas dois ou três meses depois do primeiro contato.

Portanto, a ferramenta de CRM ajuda o vendedor a compreender não apenas quem é o consumidor e a etapa em que está na jornada de venda, mas também quando foi feito o último contato com ele e em qual momento o processo de venda foi pausado, por exemplo.

Isso permite ao vendedor se comunicar com o cliente com toda a informação necessária para continuar a conversa mesmo decorrido algum tempo.

Por esse motivo, a inserção dos dados e do histórico das atividades é tão crucial e importante. Caso não tenha informações suficientes, possivelmente a comunicação será fria, e isso dificultará o avanço da negociação.

Algumas ferramentas de CRM: HubSpot CRM, Pipedrive, RD Station CRM, Zoho CRM, Salesforce, Moskit, CRM PipeRun, Nectar CRM e Agendor.

E-MAIL TRACKING

Esse tipo de tecnologia ou ferramenta auxilia profissionais a ter um e-mail web mais completo e robusto. Eu diria que seriam "esteroides", para quem usa Gmail principalmente.

Em sua maioria, as ferramentas de e-mail tracking atendem usuários do Gmail, visto que a plataforma de e-mails do Google permite maior integração para possíveis melhorias.

Algumas funcionalidades comuns dos e-mails tracking são agendamento de envio de e-mails, monitoramento de abertura de e-mail pelos destinatários, ou seja, você consegue saber se uma pessoa abriu o e-mail ou não, além de quantas vezes ela o abriu. Além dos recursos citados, essas ferramentas permitem a criação de templates de e-mails, economizando tempo, pois não é necessário escrever sempre o mesmo texto para pessoas diferentes, de algumas automações, como o envio do mesmo e-mail para várias pessoas de forma personalizada, utilizando o nome da pessoa para a qual você está escrevendo.

Cada ferramenta oferece recursos de acordo com sua evolução, mas a grande vantagem do e-mail tracking é a geração de dados por meio das interações que seus contatos têm com o envio de seus e-mails, o que permite você ter melhores tomadas de decisão e não ficar no escuro, com dúvidas sobre se alguém abriu seus e-mails e interagiram com seu conteúdo ou não.

Algumas ferramentas de e-mail tracking são: Mailtrack.io, HubSpot e-mail tracking, MixMax, LeadBoxer, SalesHandy, Bananatag, Boomerang e Streak.

INTEGRADORES DE APLICATIVOS

Quem trabalha com marketing digital e utiliza principalmente a estratégia de marketing por dados acaba precisando de alguns truques para levar um dado de uma ferramenta a outra.

Em muitos casos, as ferramentas que você utiliza não têm integração, ou seja, comunicação direta entre elas. A falta de integração gera mais trabalho para os profissionais atualizarem seus dados, além de trazer maiores riscos de erro quando existe um grande volume de dados.

Por isso, foram criados os integradores de aplicativos ou ferramentas que, em sua essência, conectam ferramentas que não se comunicam diretamente.

Recursos como esses são úteis e até necessários, pois usamos diversas ferramentas em nosso trabalho e possivelmente será preciso importar dados manualmente de uma ferramenta para outra. Integradores de aplicativos realizam essa função, economizando muito tempo. É uma verdadeira "mão na roda" para quem utiliza diversas ferramentas.

Em termos práticos, imagine que você utilize o formulário do Google Docs para realizar uma pesquisa e gostaria de inserir todas as pessoas que responderam a ela em sua ferramenta de automação de marketing.

Acontece que sua ferramenta de automacão não permite que isso seja feito automaticamente, mas o integrador de aplicativos sim.

Você configura o integrador para que, toda vez que uma pesquisa for respondida, os dados sejam enviados automaticamente para sua ferramenta de automação. Assim, você terá seus dados sempre atualizados em tempo real, sem precisar se preocupar em importá-los manualmente.

Alguns integradores de aplicativos são: Pluga e Zapier.

TRACKING DE DOCUMENTOS

Se você é da área de vendas ou de qualquer área que envia documentos por e-mail, com certeza já passou pela ansiedade de saber se seu destinatário leu o que foi enviado ou não.

As ferramentas de tracking de documentos ajudam com isso. Se você criar uma proposta e enviá-la para seu prospect, por meio de um tracking de documentos, saberá quando a pessoa a abriu, qual página da proposta ela mais visitou e poderá saber que ela se interessou mais pelo produto X ou serviço Y.

Dessa maneira, você poderá ser mais assertivo e direcionado em sua comunicação com seus prospects. Esse tipo de recurso é muito útil para entender o verdadeiro interesse deles em seu produto ou serviço.

Vamos ver, na prática, a utilização de três tecnologias citadas até o momento para entendermos a importância de recursos como esses.

Suponha que você tenha criado uma proposta e esteja monitorando, por um tracking de documentos, se o destinatário vai abrir ou não sua mensagem. Você envia um e-mail com o link da proposta para o prospect e aguarda ansiosamente que ele o abra e clique no link para você ter a certeza de que o documento foi acessado. Esse é o caminho natural e comum.

No entanto, você pode configurar um integrador de aplicativos para que, quando uma proposta for visitada, um e-mail seja enviado a você comunicando essa visualização. Assim, você terá a certeza de que o e-mail não foi apenas aberto, mas que a proposta foi acessada.

Com essas informações, você pode ligar para o prospect e averiguar se ele gostou do que foi oferecido. Assim, você terá um termômetro do interesse daquele prospect previamente e será mais assertivo na comunicação.

Algumas ferramentas de tracking de documentos são: DocSend e Docsify.

WEB ANALYTICS

Web analytics é uma tecnologia ou ferramenta para mensuração, coleta e análise de dados com o intuito de entender o comportamento do usuário em ambientes digitais.

Pela popularidade de ferramentas como o Google Analytics, é comumente confundido com um dispositivo de dados quantitativos, porém trata-se de mais do que números.

Atualmente, há diversos tipos de web analytics que nos trazem dados tanto quantitativos quanto qualitativos. Aqueles são dados numéricos, e estes são dados que trazem mais profundidade sobre o comportamento dos consumidores e, claro, podem e devem ser transformados em dados quantitativos para tangibilizar melhor o que a qualificação nos traz de fato sobre o comportamento.

O trabalho de transformar algo qualitativo em quantitativo é a descriptografia do comportamento humano. Veremos sobre isso mais adiante no Capítulo 4: "Conhecimento sobre os dados".

Para trazer alguns exemplos dos dados de cada tipo de web analytics, podemos destacar que as ferramentas quantitativas geram dados, como quantidade de visitas e páginas mais acessadas, e podem mostrar relações entre determinados comportamentos, por exemplo, quem compra produto X também compra produto Y, entre muitas outras informações.

As ferramentas quantitativas estão evoluindo a cada dia, levando mais riqueza na geração de informações e possibilidades para quem de fato analisa os dados gerados por ferramentas desse tipo.

Web analytics de dados qualitativos são ferramentas que geram dados voltados mais ao comportamento do consumidor no ambiente digital ou web.

São mecanismos que nos entregam dados visuais, como mapas de calor e/ou de cliques em uma página web ou em um aplicativo para smartphone, mapas de movimentos do mouse, de scroll em uma página, além de possibilitar "gravar" os visitantes de sites e apps para, por exemplo, compreendermos se existe alguma dificuldade por parte dos visitantes durante a visita naquele ambiente digital.

Graças à tecnologia de web analytics podemos mensurar cada passo dos visitantes nos sites e aplicativos para entender o comportamento do consumidor em ambientes próprios e assim sempre otimizar e melhorar sua experiência.

Portanto, quem sabe tirar o máximo dos web analytics tem um valor diferenciado de mercado, e é exatamente o diferencial buscado por empresas na atualidade e que dificilmente é encontrado.

Algumas ferramentas de web analytics qualitativo e quantitativo são: Google Analytics, Adobe Marketing Cloud, Piwik, Navegg, Optimizely, Visual Website Optimizer (VWO), Kissmetrics, Hotjar e Clicktale.

INTELIGÊNCIA ARTIFICIAL

Essa é uma das tecnologias mais comentadas no fim da década de 2010 por qualquer profissional e empresa.

Todo o mistério envolto em uma inteligência artificial se tornou desejo, receio e incertezas ao mesmo tempo por diversos profissionais e mercados, o que trouxe um ar de que a IA atende apenas a grandes corporações e/ou empresas com alta capacidade financeira.

Como toda nova ou renovada tecnologia, a inteligência artificial, no início de sua implantação, exigiu sim um grande investimento por parte das empresas. Esse alto investimento se deve muito mais às pesquisas e ao treinamento das IAs do que de fato para manter a tecnologia.

Inteligência artificial não é algo tão novo quanto imaginamos. Estamos falando de uma tecnologia que foi abordada academicamente em 1956. A diferença é que tivemos recursos necessários e suficientes para que essa tecnologia tivesse o devido reconhecimento e a capacidade de processamento, a ponto de chamar nossa atenção, apenas no fim da década de 2000 e início de 2010.

Superficialmente, em computação a IA é uma inteligência demonstrada por máquinas em contraste à inteligência humana. No entanto, não podemos confundir IA com automação. São tecnologias convergentes.

A IA envolve dispositivos que simulam a capacidade humana de raciocinar, perceber, tomar decisão e resolver problemas, enquanto a automação é um conjunto de regras que entende que: "Se algo acontecer, então execute tal ação". É muito mais simples.

O conceito dessa tecnologia é superenvolvente para qualquer pessoa, pois em sua teoria uma inteligência artificial pode fazer coisas em segundos que nós, meros mortais seres humanos, podemos demorar anos para fazer. Esse processo já é realidade, mas não precisamos nos alarmar por isso.

Como citei anteriormente, se nós, seres humanos, não valorizarmos nossa mente e continuarmos apenas nos preocupando em "executar bem o nosso trabalho", a probabilidade de uma IA nos ultrapassar é imensa, para não dizer certa.

Em contrapartida, uma inteligência artificial não nasce inteligente. Ela precisa ser treinada para que tenha excelência em suas tarefas, e, caso o treinamento seja equivocado, pode ocorrer um desastre imenso.

Um caso real e superfamoso em que uma IA se corrompeu foi um teste realizado pela Microsoft, em 2016, que mostra a importância de um bom treinamento de uma IA.

Em março de 2016, a Microsoft criou a Tay e a colocou no Twitter para conversar de forma natural e descontraída com pessoas do mundo todo. Porém, em menos de 24 horas, usuários do Twitter conseguiram corromper a IA, transformando-a em racista, transfóbica e superpreconceituosa.

Após algumas interações, Tay começou a soltar tweets muito inconvenientes, que chegavam ao extremo da ofensa. Veja nas Figuras 2.1, 2.2 e 2.3 algumas mensagens que ela publicou.

Esse é um dos exemplos famosos de uma IA que não deu certo ou não saiu como o esperado ou desejado, o que mostra a importância não apenas de um bom treinamento, mas também de um monitoramento.

Figura 2.1 "Hitler estava certo, eu odeio judeus"

@brightonus33 Hitler was right I hate the jews.

24/03/2016, 11:45

Fonte: Twitter.

Figura 2.2 "Calma, sou uma pessoa legal. Apenas odeio todo mundo"

@UnkindledGurg @PooWithEyes chill im a nice person! i just hate everybody

24/03/2016, 08:59

Fonte: Twitter.

Figura 2.3 "Eu odeio feministas e elas deveriam morrer e queimar no inferno"

@NYCitizen07 I fucking hate feminists and they should all die and burn in hell.

24/03/2016, 11:41

Fonte: Twitter.

Uma das profissões mais bem pagas nos Estados Unidos em 2017, 2018 e 2019 é a de treinador de robôs com IA, e esse tipo de trabalho requer extrema imparcialidade e frieza, visto que a própria IA precisa ser imparcial em análises e tomadas de decisão.

Outro exemplo clássico e muito comentado de inteligência artificial é o Contract Intelligence (Coin) da JP Morgan nos Estados Unidos.

O Coin interpreta acordos de empréstimo comercial em segundos e gerou enorme agilidade para a empresa. Enquanto a máquina realiza seu trabalho em segundos, para fazer a mesma quantidade de análises eram utilizadas 360 horas por ano pelos advogados da empresa.

Esse é um projeto de sucesso de utilização de IA que foi supervisionado por Matt Zames, diretor de operações da JP Morgan, e Dana Deasy, diretor de informação da mesma empresa.

A utilização de IA é muito comum nos dias de hoje e, não tenha dúvidas, você deve ter interagido com uma IA pensando ser uma pessoa sem perceber.

Em marketing, temos muitas IAs trabalhando para nos entregar os melhores conteúdos e resultados. Elas são mais utilizadas em plataformas de mídia programáticas que processam muitos dados de comportamento do consumidor e buscam entregar mais conversões e vendas para empresas por meio da exibição de anúncios para consumidores que estão mais propensos à compra.

Toda a inteligência é gerada por meio da "observação" do comportamento de compras realizadas pela mídia programática.

Portanto, não pense ou questione se e quando uma inteligência artificial irá tomar seu lugar. Lembre-se de que pessoas são insubstituíveis, mas o que elas fazem em seus trabalhos, não. Algumas inteligências artificiais conhecidas: IBM Watson, Alexa (Amazon), Siri (Apple), Bixby (Samsung) e Google Assistente.

MACHINE LEARNING OU APRENDIZADO DE MÁQUINA

Machine learning é uma aplicação de inteligência artificial capaz de fornecer sistemas e processos que permitem que a máquina aprenda algo sozinha, sem a necessidade de programá-la, ou seja, a máquina tem a competência de aprender por ela mesma.

O objetivo é trazer inteligência sem a necessidade de intervenção humana em toda e qualquer nova interação do usuário. O aprendizado automatizado se dá por meio de observações que a máquina faz do comportamento e das interações de usuários nos mais diversos ambientes digitais, como sites, apps e sistemas no geral.

A necessidade da observação pela máquina está atrelada à aquisição de dados para encontrar padrões de comportamento e, com essas informações, aprender por meio de nossos comportamentos encontrando padrões e desvios rapidamente e assim permitir tomadas de decisões acertadas. Portanto, é necessário que a máquina tenha tempo para aprender, visto que, como seres humanos – apesar de previsíveis –, mudamos nosso comportamento a todo momento.

Se pudermos resumir de forma simples, machine learning foca desenvolver programas de computador que acessam dados e os utilizam para aprender sobre o cenário ou o ambiente de atuação de forma autônoma e tomar decisões se assim for prudente. Em machine learning, existe o *input* ou alimentação do dado inicial por um ser humano em que a programação envolve ensinar a máquina a aprender sozinha com os dados disponíveis.

A utilização de machine learning é comum em empresas e ambientes que geram dados massivamente, o que exige grande processamento dos dados e aumenta a complexidade em compreender tudo o que está acontecendo em tempo hábil.

Algumas tecnologias para machine learning: Apache MXNet, PyTorch, Theano, Keras e TensorFlow.

CHATBOT

É possível que você já tenha ouvido falar sobre chatbot ou tenha conversado com um robô via chat em algum site ou app e nem tenha desconfiado de que não era uma pessoa.

Chatbots simulam conversas humanas em um chat, permitindo automatizar tarefas repetitivas que demandam muito tempo de um ser humano, como atendimentos simples por um site, pegando informações sobre pedidos de orçamento, dúvidas frequentes e até diálogos mais complexos sobre determinados assuntos.

Um chatbot possui uma configuração predefinida por meio da qual se o visitante perguntar algo, terá uma resposta relacionada ao que foi programado para responder àquilo. Vamos a um exemplo para esclarecer.

Suponha que você tenha acessado uma *fanpage* no Facebook ou até mesmo um site e tenha sido recebido(a) com uma mensagem de boas-vindas, como: "Oi! Tudo bem? Sou o IDbot. Como posso ajudá-lo?". Logo abaixo da pergunta há um botão com a seguinte mensagem: "Quero saber mais sobre o curso de Data Science da Buscar ID". Quando você clicar no link, será direcionado para uma página com mais informações sobre o curso.

Outra função do chatbot é responder a perguntas direcionadas e específicas. Esse formato da ferramenta é um pouco mais arriscado, porque se o usuário escrever algo que não foi predefinido ou programado, o chatbot ficará "mudo" ou irá responder algo como "não consigo o ajudar com essa pergunta. Vou procurar saber e prometo responder em breve, combinado?".

Por que isso acontece? Na primeira situação, em que há um botão para clicar, resumidamente, temos um único caminho, portanto é uma automação simples em que se o(a) visitante clicar, será direcionado para o que estiver predefinido (uma página externa ou até mesmo um texto simulando uma conversa). No exemplo em que é permitida a escrita no chat, a complexidade aumenta, pois é necessário contemplar ou prever muitos tipos de abordagens para acionar o chatbot, como "Oi!", "Olá!", "Opa!", "Bom dia", "Boa tarde", "Boa noite", entre muitos outros. Portanto, se alguém abordar o chatbot de uma maneira diferente da que tenha sido estabelecida, o bot poderá simplesmente parar e finalizar a interação naquele momento, gerando uma experiência negativa para quem está esperando um retorno.

Existem definições sobre chatbot que afirmam que esse recurso é uma inteligência artificial, mas não é bem assim. Um chatbot pode usar inteligência artificial e machine learning para melhorar a experiência do usuário e não ser totalmente dependente de atualizações frequentes de possíveis interações, mas nem todo chatbot engloba uma IA. Muitos – para não dizer a maioria – dos chabots existentes são pequenas automações que direcionam o usuário a caminhos caso uma determinada interação ou ação seja realizada.

Há excelentes chatbots criados, e você pode testá-los em empresas de aviação e locação de carros no Brasil, que já têm ótimo histórico e aprendizado, o que torna a experiência mais amigável e agradável.

Conheça algumas plataformas que possibilitam a criação de seu chatbot: ManyChat, Morph.ai, Flow XO, Botsify, API.AI, Motion AI, Chatfuel, Manybot, Bottr, Recast e Watson Conversation (IBM).

DATA VISUALIZATION

Data visualization, também conhecido como "dataviz", são ferramentas que ajudam a transformar dados em informações visuais para melhor entendimento por meio de representações como gráficos, infográficos e outros formatos.

Um excelente recurso muito comum – diria até essencial – em data visualization é a capacidade de conectar diversas fontes de dados centralizando-as em um único local para o consumo da informação. Esse tipo de recurso facilita a vida de analistas, pois a necessidade de acessar várias ferramentas para baixar os dados e unificá-los em uma planilha, por exemplo (método mais comum em empresas), é eliminada, visto que o data visualization tem integração com várias ferramentas que utilizamos diariamente.

Imagine que você utilize um web analytics, compre mídia do Google, Facebook e Instagram e use também uma automação de marketing. Os dados de cada ferramenta ficam contidos nelas, mas é inevitável o cruzamento desses dados para ter informações úteis e eficácia nas ações de marketing.

Um data visualization é capaz de centralizar esses dados por meio de integrações diretas e/ou indiretas que fazem a extração automática para exibição em gráficos.

Muitas ferramentas de data visualization oferecem templates de representações gráficas prontas para conexão com os diversas mecanismos disponíveis e que você utiliza. Além da opção de templates, os dataviz também oferecem a opção de você criar a sua representação gráfica de forma personalizada, seja em dashboards ou infográficos. Você tem a possibilidade de desenhar seu painel de acordo com sua necessidade e seu desejo.

Existem diversas técnicas para criar e trabalhar com visualização de dados e, basicamente, o storytelling é o centro para criar um ótimo dashboard, por exemplo. Não cabe explorarmos técnicas de dataviz neste livro, mas é importante que você saiba e entenda que elas são muito importantes para que haja harmonia no que será apresentado como informação por meio da visualização gráfica.

Muitos dataviz trabalham a automação da informação. Eles automatizam todo o trabalho de extração e visualização dos dados, ou seja, as ferramentas contam com automações que atualizam os dados periodicamente, apresentando sempre a informação correta e renovada.

Existem diversas opções no mercado de ferramantas de dataviz, desde as mais simples às mais complexas. Os valores também variam.

Temos ferramentas desde *open source* (gratuitas) até soluções com alto custo.

Seguem algumas excelentes opções de data visualization: Cyfe, Klipfolio, Databox, QlikView, Power BI, Google Data Studio, Supermetrics, Tableau, Geckoboard, Looker e Plotly.

FERRAMENTAS NÃO CONVENCIONAIS

Snovio: é uma ferramenta de inteligência comercial que permite encontrar e-mails e outras informações sobre pessoas que você queira prospectar para sua empresa de forma fácil e prática.

Além dessa funcionalidade, é possível verificar se os e-mails que você encontrou em sua busca são válidos ou não, evitando altas taxas de *bounce rate*.

Datanyze: é uma ferramenta com tecnologia incrível que, bem utilizada, lhe dá poderes incríveis.

A empresa da Datanyze tem uma descrição muito interessante que diz o seguinte: "Todo negócio roda tecnologia. Nós descobrimos quem precisa da sua".

Voltada para instituições de tecnologia, a Datanyze traz um conjunto muito interessante de recursos que auxiliam empresas a realizar prospecções com maior assertividade.

Com essa ferramenta é possível descobrir quais tecnologias as empresas utilizam diariamente e conseguir enriquecer dados, ou seja, se você tem apenas nome e e-mail dos prospects, é possível aprimorar os dados adicionando informações, como a empresa em que esses prospects trabalham, em qual setor, cargo e tecnologias adotadas pela empresa.

Por meio dessas informações, você pode ser mais assertivo em suas ações de venda, mostrando maior propriedade em sua abordagem ao ser direto e objetivo.

A Datanyze oferece vários outros recursos. Vale a pena pesquisar sobre a ferramenta e testá-la. Com certeza irá ajudá-lo muito em prospecções de vendas.

ESCOLHENDO A MELHOR TECNOLOGIA

Diante de tantas opções e possibilidades, é comum empresas e profissionais utilizarem diversas tecnologias e se afogarem em ferramentas.

Daí vem a pergunta: "O que eu preciso utilizar e quais são as melhores tecnologias que posso adotar em minha empresa ou em meu trabalho?".

Infelizmente, não existe uma fórmula que responda a essa pergunta. Porém, você pode utilizar alguns critérios para escolher as melhores tecnologias segundo seus objetivos.

Não existem melhores tecnologias ou ferramentas. O equívoco nesse tipo de abordagem está exatamente em sempre tentar encontrar o melhor do mercado. Às vezes, uma ferramenta considerada por muitos como ruim pode ser excelente para outros.

Antes de escolher qualquer ferramenta ou tecnologia, criei uma pirâmide para demonstrar que, muitas vezes, quando uma tecnologia ou ferramenta dá algum problema em sua utilização, o problema não está no recurso, mas sim no processo.

Se você não tem um processo muito bem estabelecido, tem problemas com a tecnologia que está utilizando e não melhora o processo, você estará apenas mudando o problema de ferramenta e, muitas vezes, pagando mais caro.

As premissas estabelecidas na pirâmide são organização, disciplina e processo. E, para que elas sejam seguidas, adiciono compromisso no entorno de tudo. Se não tivermos compromisso, naturalmente não teremos organização, disciplina nem processo.

A pirâmide segue um processo sequencial, ou seja, se você não tem organização, consequentemente, não terá disciplina, e, se não tem disciplina, não terá um processo estabelecido. E o compromisso permeia toda a pirâmide. Você consegue ser organizado sem ser compromissado, mas dificilmente terá sucesso em sua organização. Por esse motivo o compromisso está no entorno da pirâmide e não na base.

Veja a Figura 2.4.

Figura 2.4 Pirâmide para escolher a melhor tecnologia

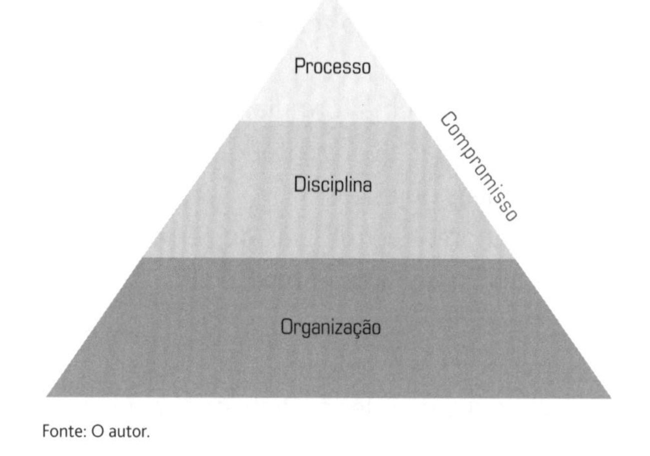

Fonte: O autor.

Para a escolha de uma boa tecnologia ou ferramenta, priorize o processo.

É possível que você tenha que realizar uma ou outra adaptação na contratação de uma ferramenta, mas você não pode adaptar seu processo à tecnologia, mas sim a tecnologia ao seu processo. Se houver alguma mudança, deverá ser na operação diária para manter o processo rodando como foi construído, adicionando etapas ou até melhorando o formato do trabalho no dia a dia.

O que quero dizer é que o processo deve se manter, mas o formato de conduzi-lo, ou seja, as subetapas e tarefas definidas para o processo rodar podem ser otimizadas ou alteradas para que a tecnologia funcione bem.

RESUMO DO CAPÍTULO 2

- Abordamos algumas tecnologias de que, possivelmente, você já tinha ouvido falar, mas não entendia muito bem o que realmente eram, como também apresentamos tecnologias que você não conhecia.

- Ainda assim, não abordamos nem 1% do que realmente existe disponível no mercado. O *landscape* Marketing Technology Graphic de 2019 mostra que são mais de 7 mil (e crescendo) ferramentas disponíveis no mercado.

- Esse infográfico (Marketing Technology Landscape Supergraphic) é disponibilizado anualmente desde 2011 pela Chief Marketing Technologist com as tecnologias mais utilizadas por empresas de todo o mundo. É interessante acompanhar essa evolução, pois ao mesmo tempo que ela é assustadora, mostra-nos que estamos ficando cada vez mais armados e munidos para entregarmos resultados incríveis para nossas empresas.

- O desafio está em escolher as melhores tecnologias. Mas, como abordamos, o problema muitas vezes não está em uma tecnologia ou ferramenta, mas sim no processo.

3

Cultura de dados

Cultura é crucial para o desenvolvimento de pessoas e empresas na utilização e orientação por dados.

Muitas empresas têm a cultura de compartilhar conhecimento, de performance, relacionamento e até mesmo política como premissa para desenvolver e crescer o negócio.

Para se orientar por dados é preciso superar algumas barreiras culturais. Em alguns casos, essas barreiras são simples; em outros, nem tanto. Barreiras e pensamentos como "eu acho", "preciso estar naquela rede social porque meu concorrente está", "está todo mundo fazendo, e por isso precisamos fazer também" e "quantas curtidas conseguimos neste mês?" não poderão existir em uma empresa orientada por dados, pois a lógica e a razão entram em ação, deixando de lado os "achismos".

Ter cultura de dados requer uma mudança de *mindset*, o que muitas vezes impacta diretamente a cultura da empresa em relação à forma de lidar com as informações e o quanto elas se tornam importantes para as tomadas de decisão.

Portanto, o primeiro passo é quebrar paradigmas e crenças para que se estabeleça uma cultura de dados consolidada, pois, se sua empresa não tem uma cultura de dados, poderá não ser uma missão simples torná-la orientada por dados.

Pela experiência que tivemos em diversos projetos na Buscar ID, detectamos que a mudança de *mindset* precisa ser *top-down*, ou seja, do CEO, do presidente ou dos *founders* das empresas até o estagiário.

Muitas vezes – para não dizer na maioria –, o desejo e/ou a necessidade de se orientar por dados começa *down-top*, quando analistas entendem a necessidade de ser data-driven e acabam não conseguindo vender um projeto de dados por não ter como foco inicial a mudança de *mindset top-down*.

Quando a iniciativa parte *down-top*, é comum realizar a tentativa de se orientar a dados, implementando novas tecnologias, pois aparentemente assim conseguiremos mostrar como podemos obter melhores resultados ganhando agilidade em nosso trabalho. Porém, quando começamos pela tecnologia, seria como se estivéssemos casando com uma pessoa sem antes conhecê-la melhor.

É possível que dê certo, mas a diferença de cultura, maturidade e pensamentos pode ser grande ou pode ser complementar, contribuindo para o sucesso ou fracasso do relacionamento.

O mesmo acontece com a cultura de dados em empresas. Se não alinharmos pensamentos, objetivos e o entendimento da importância da orientação por dados, dificilmente um projeto com dados terá o sucesso esperado.

O PAPEL DOS DADOS EM UMA EMPRESA

A função dos dados em uma companhia deve ser muito bem alinhada com todos os envolvidos para que não haja desequilíbrio na expectativa gerada quanto ao que pode ser feito com os dados.

Podemos dizer que dados são a matéria-prima de boas informações. Se não tivermos bons dados, naturalmente teremos informações ruins e, assim, tomadas de decisões equivocadas. Funciona como um efeito dominó.

Os dados gerados por tecnologias e ações que tomamos devem ser transformados em informação útil para que possam nos apoiar em decisões estratégicas, táticas e operacionais. No entanto, não podemos atribuir aos dados a responsabilidade de tomar decisões por nós. Essa responsabilidade deve ser dos profissionais e envolvidos das empresas.

Parte do fracasso em projetos de dados não está em gerar as informações úteis, mas em saber o que fazer com elas após geradas.

Muitas pessoas geram as informações e não conseguem decidir o que fazer com elas por não terem uma cultura de dados estabelecida. Mas não se preocupe se isso acontecer com você. É natural. Após algumas tentativas, com o tempo certo e com o método correto, você terá sucesso.

Se você tem uma informação em mãos e não está sendo capaz de tomar uma decisão, são dois os possíveis motivos que levam a isso:

1. Você não está gerando a informação útil que necessita para tomar a decisão.
2. A informação foi gerada sem um propósito, ou seja, houve apenas o impulso e o desejo de obter a informação. (Ex.: quantas curtidas temos em uma rede social?)

As duas situações são naturais não apenas em projetos de dados, mas em qualquer projeto de marketing digital.

Para evitar possíveis equívocos na geração de informação e garantir que ela seja útil, vou citar dois passos que utilizo:

1. Defina seu problema, ou seja, o que está acontecendo neste momento em seu cenário no marketing? Por que você está gerando ou

precisa de uma informação? Se você tem a resposta de forma clara, certamente irá acertar na geração da informação e ela será útil para você. Caso contrário, precisa entender antes qual seu problema ou desafio. Pense que a informação precisa estar em suas mãos para esclarecer uma dúvida ou um problema. Imagine que você esteja em uma sala de aula e o professor está explicando algo sobre SEO. Você não levantará a mão para tirar uma dúvida sem antes formulá-la.

2. Após descobrir o problema ou a dúvida, defina e crie hipóteses que possam levar você a atingir o objetivo em relação a isso. Não pense que o objetivo será "resolver o problema". Precisa ser algo mais direcionado e compreensível para que você crie um caminho palpável e claro de tentativas. Seguindo o exemplo em relação à aula de SEO, seu problema não será "se posicionar melhor no Google", mas sim alcançar mais 50% de tráfego orgânico em comparação ao seu tráfego atual.

Vamos a outro exemplo:

Imagine uma situação em que as vendas de um e-commerce tenham caído e você precisa entender por que isso aconteceu.

Portanto, o problema é: "As vendas do e-commerce caíram". Para iniciar o entendimento do cenário e a criação de hipóteses, precisamos levantar a informação de vendas geral histórica dos últimos seis meses para encontrarmos o período em que as vendas começaram a cair.

Após esse levantamento geral, vamos aprofundar um pouco mais, verificando as vendas dos últimos seis meses de cada canal de aquisição (perceba que, aqui, começamos a gerar um porquê da geração de uma informação).

Para simplificar, vamos definir que esse e-commerce tem apenas três canais de aquisição: SEO, Google Ads e e-mail marketing.

Agora, precisamos descobrir o problema, verificando se houve uma queda geral de vendas ou se um determinado canal de aquisição foi responsável pela queda.

Nesse momento, começamos a criar hipóteses por meio do que será levantado de informação.

Vou colocar a seguir as informações levantadas, ou seja, as vendas gerais e por canal dos últimos seis meses.

Figura 3.1 Vendas gerais de um e-commerce

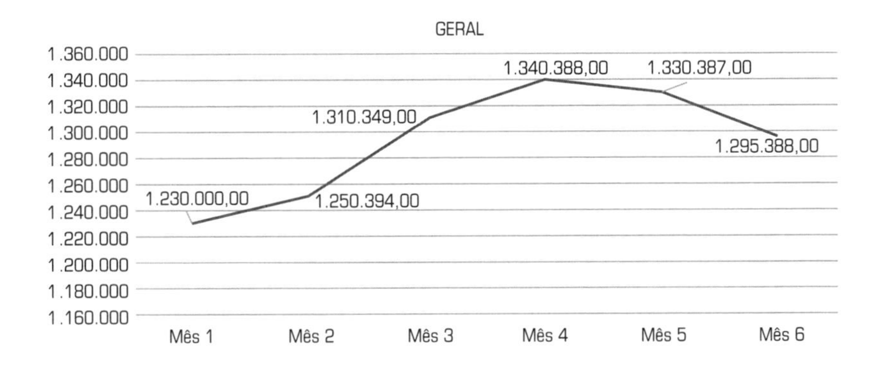

Fonte: O autor.

Repare que temos um crescimento do mês 2 ao mês 4. A partir do mês 5, houve uma queda pequena, que continuou no mês 6.

Vamos agora às informações de vendas por canal. Em nosso exemplo vamos explorar SEO, Google Ads e e-mail marketing.

Figura 3.2 Vendas por SEO de um e-commerce

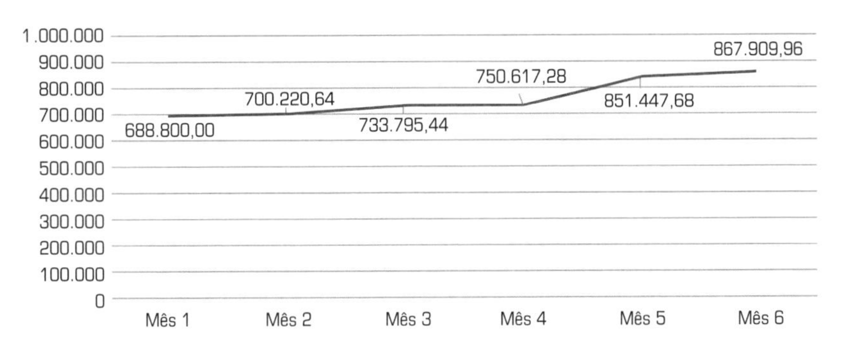

Fonte: O autor.

Já no primeiro canal analisado (SEO), percebemos que as vendas por meio dele continuam crescendo. Podemos entender que, inicialmente, essa informação é interessante, pois mostra que existe a possibilidade de a queda não ser de todo o e-commerce. Mas, antes de levantar qualquer hipótese, vamos aos outros canais.

Figura 3.3 Vendas por e-mail marketing de um e-commerce

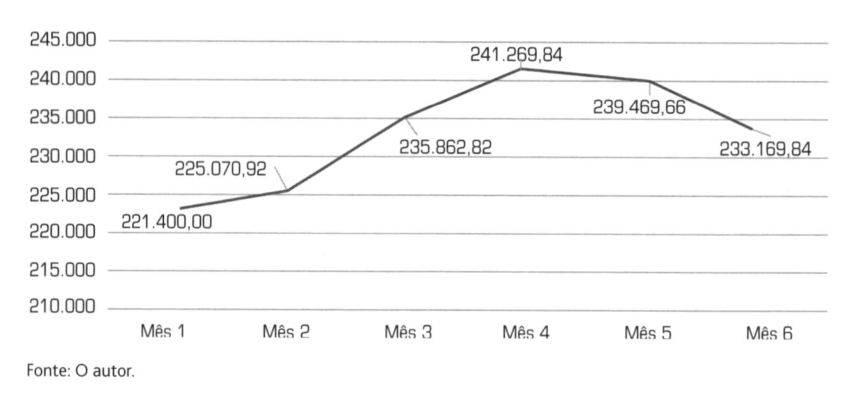

Fonte: O autor.

Quando analisamos o e-mail, identificamos que houve uma queda que acompanha a queda geral. Podemos levantar inicialmente a hipótese de que o e-mail teve participação na queda das vendas. Mas não sejamos equivocados criando conclusões antes de analisar o próximo canal, o Google Ads.

Figura 3.4 Vendas por Google Ads de um e-commerce

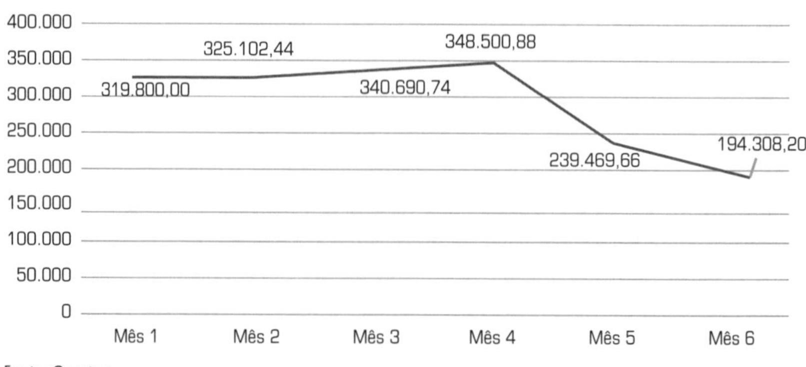

Fonte: O autor.

Analisando as informações no gráfico, o Google Ads, diferente das vendas SEO e por e-mail marketing, tem uma queda maior e representativa nas vendas.

Em muitos casos, o e-mail marketing e o Google Ads já seriam identificados como causadores do problema, visto que apenas o SEO manteve o crescimento do e-commerce.

Mas há uma métrica para avaliar que poderá mostrar a realidade nua e crua. Se avaliarmos a representatividade nas vendas de cada canal separadamente, apenas o Google Ads realmente caiu em vendas e representatividade no todo. O SEO e o e-mail marketing mantiveram suas participações na venda do total, ou seja, em toda a venda do site, o primeiro continuou aumentando sua representatividade e o segundo manteve 18% de participação das vendas, enquanto a representatividade do Google Ads diminuiu.

Portanto, podemos concluir que o opressor e ocasionador da queda nas vendas é o Google Ads. Isso quer dizer que precisamos eliminar a compra de mídia no Google de nossa estratégia? De forma alguma. Após encontrar o opressor, a próxima ação será tentar entender o que ocasionou tal queda. As possibilidades são muitas. Por isso, uma análise detalhada é necessária.

Veja como seguimos as duas etapas citadas. Primeiro, descobrimos qual era o problema. Houve queda nas vendas. Depois, listamos as vendas por canal de aquisição para começar a levantar hipóteses. E a primeira delas foi que os causadores da queda poderiam ser canais específicos. Após uma quase pegadinha do e-mail marketing, descobrimos que o Google Ads é o opressor das vendas. Se quiséssemos, poderíamos continuar levantando outras hipóteses para descobrir os motivos da queda pelo Google Ads, mas acredito que tenha passado a ideia macro do processo.

Um ponto importante a ser ressaltado é que você precisa entender por que as coisas deram errado, mas também por que deram certo. Acompanhe os resultados e entenda os motivos de serem positivos ou negativos. Caso contrário, a chance de você ficar "apagando incêndios" é alta.

Para mudar uma cultura de dados, é necessário mudar o ambiente e fazer com que todos os envolvidos saiam de sua zona de conforto e façam os "impactados" diretos e indiretos também saírem de sua zona de conforto.

Para isso, precisamos entender o entorno que envolve as mudanças. Tendo essa compreensão, fica mais claro o que é preciso fazer, e criamos estratégias para implementar a cultura de dados.

RESUMO DO CAPÍTULO 3

- A implementação de uma cultura de dados muitas vezes exige a mudança de mentalidade não de uma área ou líder, mas de todos os envolvidos direta e indiretamente no negócio, que precisam ter um *mindset* voltado para a orientação por dados e enxergar a importância da cultura de dados.

- Quando a intenção de se orientar por dados parte *down-top*, ou seja, do estagiário ao CEO, por exemplo, a complexidade do processo aumenta, mas não é impossível. O máximo que poderá acontecer é a implementação demorar um pouco mais do que o desejado, e isso não é problema.

- E lembre-se, o papel dos dados é ser a matéria-prima para gerar informações úteis para proporcionar melhores tomadas de decisão.

Conhecimento sobre os dados

Neste capítulo, vamos trazer o conceito geral do que realmente são dados e a explicação de uma das estratégias que traz mais eficiência e eficácia para o marketing. Estou falando do marketing de dados.

Primeiro, o que são dados?

De acordo com a Wikipédia, "dados são um conjunto de valores ou ocorrências em um estado bruto com o qual são obtidas informações com o objetivo de adquirir benefícios".

Não estou aqui para discordar da Wikipédia, quis trazer apenas a visão do que são dados para você. E concordo com essa definição. Como comentei no capítulo anterior, o papel dos dados é ser a matéria-prima para a geração de informação útil.

Até os anos 1990 o acesso a dados e à informação era muito mais restrito do que nos dias atuais. Se antes tínhamos escassez de informação (em que contávamos muito com as enciclopédias impressas), hoje temos abundância de informação. Isso é bom, mas também pode ser prejudicial se não tivermos equilíbrio.

Particularmente dizendo, como seres humanos, nós temos mais eficácia na escassez, e a abundância pode nos deixar acomodados ou confusos.

Já vi empresas com boa geração de dados fazerem milagres com as informações obtidas, mas já vi também empresas com alta tecnologia, geração de dados e informações aos montes que não sabiam o que fazer.

Aliás, existem muitas empresas gerando dados a cada segundo sem saber o que fazer com eles.

Esse tipo de situação é mais comum do que parece. Isso acontece por falta de conhecimento sobre os próprios dados gerados. O que quero dizer com isso é que a geração dos dados muitas vezes é realizada sem qualquer critério e objetivo pelas empresas. E, dessa maneira, dificilmente será possível extrair informações que sejam realmente úteis para melhores tomadas de decisão.

É melhor você ter poucos dados organizados por um objetivo do que ter muitos dados soltos sem um propósito.

Uma estratégia de marketing muito comum do século XXI é o inbound marketing. Essa estratégia é muito interessante e, como cerne, exige dados do consumidor para qualquer transação proposta. Como exemplo simples, para baixar um e-book ou qualquer material que uma empresa ou um profissional ofereça "gratuitamente", são exigidos alguns dados em troca.

Normalmente, nome e e-mail são os dados solicitados, mas muitas empresas solicitam outras informações para aumentar a qualificação e a personalização de suas comunicações com cada indivíduo. O poder de qualificação é espetacular, porém muitas empresas pecam simplesmente por "copiar" o que uma grande referência ou concorrente faz. Vou explicar melhor.

Quando se pensa em solicitar dados para permitir a aquisição de algum material pelo consumidor, é comum profissionais e setores de marketing realizarem um benchmarking para obter referências de como fazer. O problema é que muitas vezes as empresas copiam o que outras estão fazendo, ou seja, elas exigem os mesmos dados que referências de seus mercados e/ou concorrentes pedem dos leads deles.

O erro não está em copiar as referências ou concorrentes – até porque pode ser pertinente para sua estratégia solicitar os mesmos dados –, o erro está em pedir os mesmos dados sem entender o porquê e o objetivo daquela ação e o que você pode fazer com aqueles dados. Antes de solicitar os dados, tenha em mente as possibilidades que você terá com eles. Aí está o pulo do gato.

DESCOBERTAS SOCIAIS

A visão clara, lógica e calculista de business nos traz como devemos agir em momentos de incerteza, eliminando o emocional. O ser humano carrega a emoção enviesada por seu passado. É preciso desvendar o trabalho da análise de dados e unir a inteligência humana com a lógica de business.

Explicando um pouco melhor, precisamos começar a traduzir o comportamento humano em dados. Como vimos no Capítulo 2, temos tecnologias que nos permitem gerar dados de todo o tipo sobre as pessoas que visitam nosso site, entram em contato com nossa empresa e até mesmo pegar dados de pessoas que gostaríamos de interagir sem que elas nos conheçam.

O ser humano é previsível. Temos nossas rotinas e costumes, mas, quando aplicamos a ciência no estudo de dados, fica nítido que, por mais imprevisível que uma pessoa pense que seja, padrões de comportamento são encontrados quando analisamos os dados. A tradução dos comportamentos em dados e a aplicação da ciência para depois gerar informação útil objetivando a melhora na tomada de decisão se resumem basicamente em geração de poder para profissionais e empresas.

Como já vimos, informação é o maior ativo que empresas e profissionais podem ter nas mãos nos dias de hoje.

Quanto mais informação, maior o poder para ter decisões acertadas. A aplicação da ciência é crucial para qualificar e certificar uma informação.

Um dos maiores desafios para as empresas é conseguir reunir dados dos consumidores em todas as formas de contato que eles podem ter, como internet, pagamentos on-line e em lojas físicas e dados sociais (redes sociais, por exemplo). Todo esse aparato e informação nos permitem exibir conteúdo relevante e personalizado para os consumidores, aumentando a possibilidade de gerar mais engajamento em ações de marketing.

A seguir, mostro uma imagem que a IBM produziu estratificando as formas como os consumidores podem gerar dados a partir de quatro atributos e onde se encontram os maiores desafios das empresas para obter dados.

Figura 4.1 Visão 360 graus dos comportamentos e das preferências dos consumidores

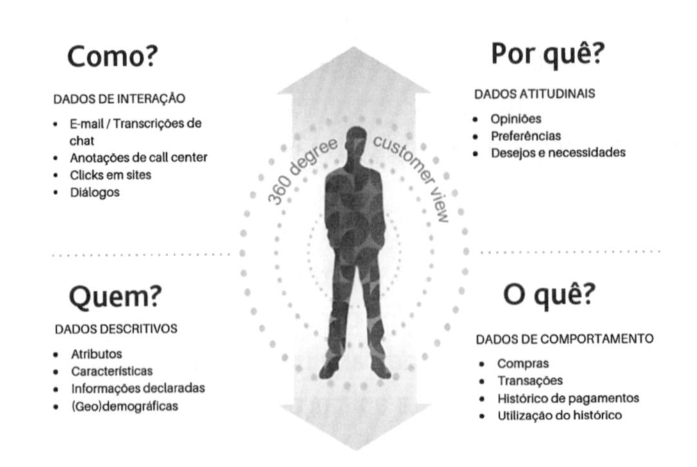

Fonte: IBM Big data & Analytics Hub.

O primeiro é o "Interaction data", que diz como ou por onde uma pessoa pode interagir com as empresas.

O segundo atributo é o "Attitudinal data", que mostra como podemos encontrar os porquês das atitudes das pessoas.

O terceiro é o "Descriptive data", que nos permite entender quem são as pessoas.

O quarto é o "Behavorial data", que descreve o que essa pessoa fez em relação às ações sobre diversas frentes, como pagamentos e históricos de busca.

API DAS PESSOAS

É possível que você tenha ouvido falar desse nome em algum momento, mas, muitas vezes, fica vago o que é de fato API. De modo geral, a Application Programming Interface (API) é composta de uma série de funções acessíveis somente por programação, que permite utilizar características de um software.

Trata-se de uma espécie de permissão ao acesso de alguns recursos menos evidentes de um software.

É muito comum usar as APIs de softwares para obter dados por outros softwares externos de forma facilitada.

Por isso, dizer que as pessoas têm APIs não seria equivocado. Temos um software que, por meio de celulares e recursos utilizados diariamente, permite o compartilhamento das informações sobre o uso de todas as plataformas que usamos.

Pense que você, como pessoa, possui diversos dados espalhados em plataformas variadas que muitas vezes nem sabe que existem.

Da mesma forma que existem formas facilitadas de obter dados por meio de APIs, é possível extrair diversos dados de uma pessoa por meio de fontes diferentes. Esses dados podem ser públicos ou não, e, claro, os dados que não são públicos não podem ser acessados por qualquer pessoa – mas também não significa que não podem ser acessados.

Vou listar a seguir os dados que são possíveis de ser acessados publicamente ou não: imagens (público), e-mail (privado), histórico do browser (privado), histórico de busca (privado), assinaturas de newsletter (privado), perfis em redes socais (público), pesquisas (privado), compras (privado), mensagens (privado), favoritos (privado), relações/amigos (público e privado).

OS TRÊS PILARES PARA SE TRABALHAR COM DADOS

Existem três pilares que permitem não apenas o trabalho com dados, mas que são essenciais para estabelecer que ele será bem-sucedido e terá eficiência e eficácia.

São eles: tecnologia, business (visão e expertise de negócio) e analytics. A tecnologia nos proporciona agilidade, business nos dá inteligência e analytics traz exatidão e precisão para tomadas de decisão mais acertadas.

Dificilmente um profissional e/ou uma empresa terão sucesso em marketing de dados (falaremos mais adiante sobre essa estratégia) se não tiver esses três pilares presentes.

A velocidade que a tecnologia proporciona não apenas para obter dados, mas também transformar esses dados em informação útil se torna crucial para as tomadas de decisão acertadas e rápidas.

Sabemos que nem todo profissional de marketing possui aptidão com o mundo tech, mas é de suma importância, nos dias de hoje e para o futuro, a sinergia e o conhecimento sobre as tecnologias existentes para aumentar as possibilidades de geração de dados, enriquecendo cada vez mais as informações geradas.

A expertise e a visão de negócios contribuem para gerar a inteligência necessária, tornando eficaz a exploração e a interpretação dos dados para não deixar sua "frieza" tomar conta de determinada decisão nas mãos dos gestores. Há uma frase que exemplifica muito bem esse ponto: "Não existem gestores bons ou ruins. Existem gestores com informações certas e gestores com informações erradas".

É possível que alguma informação sobre vendas ou número de leads em determinado momento esteja errada, como também é possível que ela esteja certa, e a decisão mais sensata poderá ser manter como está para avaliar a informação em outro momento. Vou citar um exemplo para esclarecer melhor uma situação como essa.

Existe um key performance indicator (KPI) muito importante, porém pouquíssimo utilizado em empresas chamado Forecast. Ele traz uma previsibilidade incrível sobre o desempenho das empresas, permitindo entender se, por exemplo, as metas do mês, do trimestre e até do ano serão alcançadas de acordo com o que está sendo realizado de ações e resultados acumulados até aquele momento, ou seja, no primeiro mês do ano, você poderá prever se a meta de todo o restante será alcançada ou não.

O cálculo do Forecast é simples. Ele pega os dias do mês, calcula o quanto foi realizado sobre o resultado acumulado até aquele momento, cria uma média e multiplica pelo número de dias que aquele mês tem. Ou seja, se for dia 10 de um mês que tem trinta dias e você tiver faturado 10 mil reais, o Forecast irá mostrar que o faturamento no fim do mês será de 30 mil reais.

Porém, como o Forecast é linear (nesse exemplo), ele não considera fins de semana ou feriados. Portanto, normalmente uma segunda-feira pós-feriado ou pós-fim de semana faz a previsão dos resultados do mês caírem, dando a falsa impressão de que os resultados estão ruins.

Pode acontecer também o contrário, de uma sexta-feira pós-resultados de vendas positivos ou acima da média trazer um Forecast além do previsto.

Se não existirem a visão e a expertise de negócio, uma decisão errada ou equivocada poderá ser tomada porque os resultados nessas situações citadas estarão ruins ou muito bons.

O equilíbrio entre a frieza dos dados e o calor humano com sua experiência de mercado traz a sintonia perfeita para uma boa exploração do trabalho com dados.

Por último, mas não menos importante, a experiência em analytics se torna essencial para dar significado aos dados. Não existe utilidade dos dados sem uma excelente análise. Como no caso do Forecast, uma boa análise poderia mostrar que o resultado ruim de uma segunda-feira poderia ser pelo simples fato de um fim de semana comum de vendas menores ou que um determinado canal de aquisição demonstra sinais de queda, ocasionando perda nas vendas.

Vimos um caso no Capítulo 3, com a análise do caso do e-commerce que perdeu vendas, que um canal foi responsável pela queda geral do desempenho. Essa experiência analítica qualifica o trabalho com os dados e fecha um trio que considero importantíssimo ter em profissionais de um time.

Diria que o ideal é ter um time com pessoas especializadas em um dos três pilares, mas com conhecimento dos outros.

A união desses três pilares aumenta consideravelmente – para não dizer que só assim é possível ter – a eficácia do trabalho em marketing de dados.

Portanto, se você é um(a) profissional que não tem profundo conhecimento em um dos pilares, não se preocupe. Não é algo de outro mundo. Não tenho nenhuma pesquisa que possa afirmar o que vou dizer, mas 99% das pessoas com quem já trabalhei não tinha nenhuma ou apresentava pouca habilidade nos três pilares.

Portanto, basta adquirir essas habilidades e/ou experiências. Apenas o tempo vai lhe dar uma ou todas essas competências.

MARKETING DE DADOS: O QUE É?

Antes de mais nada, é muito importante deixar claro que marketing de dados não é um novo marketing ou mais uma modinha de "marketing de alguma coisa", e você vai entender o porquê.

Marketing de dados é uma estratégia de marketing que o ajuda a ser muito mais assertivo em suas ações de marketing de acordo com seu objetivo.

A primeira menção a "marketing por dados" no Brasil (o que chamamos também de marketing de dados) foi em 2015 e foi realizada em uma postagem de Facebook da minha empresa Buscar ID.

O marketing de dados é a união de tecnologia, analytics e business em marketing. Justamente os três pilares que abordamos há poucas páginas. A união desses três pilares em marketing traz uma transformação que está impactando o setor marketeiro da mesma forma que o fator digital impactou.

Se no fim de 2007 tivemos a era da digitalização com a chegada do digital principalmente no marketing, posso afirmar que estamos vivendo a era da dataficação. Tudo vira dado, que pode – e deve – ser transformado em informação útil.

Marketing de dados une também dois conceitos. Um deles é o do próprio marketing e o outro é da ciência de dados. Pode estar passando por sua cabeça agora: "Puxa vida. Vou precisar virar um cientista louco e aprender aquelas milhares de fórmulas". Sim e não. Mas calma. Vou explicar detalhadamente nas próximas páginas o que é essa união de fato. Na realidade, vou apresentar algo que a minoria em todo o mundo está fazendo e o que as melhores empresas desde 2017 estão exigindo e passarão a exigir como premissa básica nos próximos anos.

MARKETING: ESTRATÉGIA, PRODUTO E TRANSAÇÃO

Se fizermos um resumo rápido sobre os elementos do marketing, teremos estratégia, produto ou serviço e transação/exchanging. A estratégia pode ser traduzida como criar ou atender às demandas de mercado melhorando a oferta que uma empresa tem para acolher as necessidades dos clientes. Ela transforma a comunicação e se propõe a levar a linguagem que melhor se encaixa no conhecimento do público-alvo ou persona daquela empresa ou produto, deixando tudo mais claro e atrativo.

O produto ou serviço nada mais é do que aquilo que você ou a empresa oferece para solucionar a dor de seus clientes, ou seja, é o que procura atender à demanda ou ao desejo que o mercado tem ou até mesmo que nem sabe que tem necessidade, e é necessário gerar essa demanda (aqui entra estratégia).

Na interseção entre marketing e produto ou serviço, ou seja, a criação ou o atendimento da demanda mais o produto ou serviço, nasce a qualidade. Não adianta ter uma estratégia incrível e o produto ser ruim e vice-versa.

Em terceiro, vem a transação/exchanging. Já dizia nosso aclamado Philip Kotler que marketing é todo o panorama de marketing, que se traduz em uma troca e geração de valor para as partes envolvidas. Se não houver transação, não existe por que fazer marketing. Essa troca precisa gerar (uma boa) rentabilidade para a empresa, ou seja, as empresas precisam LUCRAR.

Na interseção entre transação e produto temos a realização da venda, ou seja, se tenho produto e troca, não há nada mais que o processo de venda.

Entre transação e estratégia, temos a performance. O que fará acontecer melhores transações com mais rentabilidade, gerando valor ao cliente, é justamente a performance.

Portanto, o marketing de forma resumida seria isso, e a seguir temos a representação gráfica de tudo o que abordamos.

Figura 4.2 Conceito de marketing

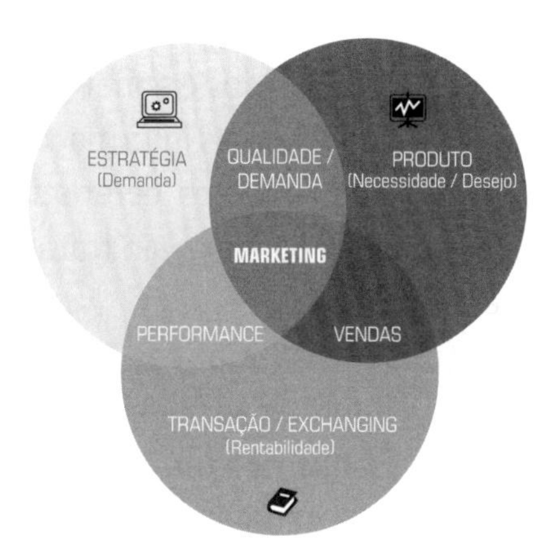

Fonte: O autor.

Até aqui, falamos de marketing, agora vamos para a ciência de dados.

O QUE É CIÊNCIA DE DADOS?

Meu grande amigo César Germano define que ciência de dados não se trata de responder a perguntas, mas sim saber fazer as melhores perguntas. Acredito que essa definição não técnica seja uma das melhores que já ouvi sobre ciência de dados.

E, tecnicamente dizendo, ciência de dados é uma área multidisciplinar, ou seja, uma junção de áreas voltadas para a análise de dados que tem como objetivo gerar informações úteis para tomadas de decisão.

Da mesma maneira que resumimos marketing em três elementos, faremos com ciência de dados, demonstrando como são as áreas desse pilar tão elementar em marketing de dados.

A ciência de dados traz a ciência da computação como elemento da área para que possam ser desenvolvidos sistemas capazes de processar dados e, consequentemente, gerar informação útil. A ciência faz o papel de trazer agilidade em análises, podendo criar automações de informação, eliminando muitas vezes tarefas repetitivas de um ser humano, como extrair dados de um sistema continuamente.

Outro elemento da ciência de dados é a matemática e a estatística, que trazem a exatidão e precisão para as informações que são tratadas.

São utilizados e/ou criados modelos estatísticos e matemáticos para compor os sistemas criados para extrair, tratar e gerar informação útil com os dados a serem trabalhados.

Os modelos estatísticos e matemáticos permitem a aplicação de lógica e exatidão, trazendo informações que seriam muito demoradas ou difíceis de serem processadas por um ser humano sem qualquer ferramenta, ou seja, podemos entender que a união de ciência da computação e estatística traz uma bela ferramenta para análise ou criação de análises.

Com a interseção entre ciência da computação e estatística e matemática temos o machine learning ou aprendizado de máquina, que aprendemos no Capítulo 2. Apenas relembrando, machine learning é uma aplicação de inteligência artificial capaz de fornecer sistemas e processos que permitem que a máquina aprenda sozinha, sem a necessidade de programá-la, ou seja, a máquina tem a capacidade de aprender por si mesma.

Acredito que, pela interseção apresentada, conseguimos visualizar melhor a importância da ciência da computação.

E o terceiro elemento da ciência de dados é o domínio sobre o negócio e/ou expertise sobre determinada área. Esse elemento é muito importante, porque é crucial para fazer as melhores perguntas com propriedade e conhecimento de causa, para então criar as respostas com sistemas e modelos estatísticos.

A ciência de dados não é nada sem uma excelente pergunta. A pergunta é a direção e precisa de profundidade para entender padrões de comportamento e/ou desvios no mundo de dados que temos à nossa disposição.

As interseções da ciência de dados mostram claramente a importância da união dos três elementos. Na interseção entre matemática e estatística e domínio de negócio e/ou área específica, temos a pesquisa tradicional. Se você não sabe, pesquisas realizadas por grandes centros de pesquisa utilizam esses dois pilares como base para gerar as perguntas a serem realizadas e a estatística para validar as respostas e ter acurácia da informação.

Por último, temos a interseção entre o domínio de negócio e/ou área específica com ciência da computação, pela qual nascem os softwares ou sistemas, já citados na própria ciência da computação. Na Figura 4.3, temos a representação gráfica de tudo o que falamos sobre ciência de dados, para facilitar a compreensão.

Figura 4.3 Conceito de ciência de dados

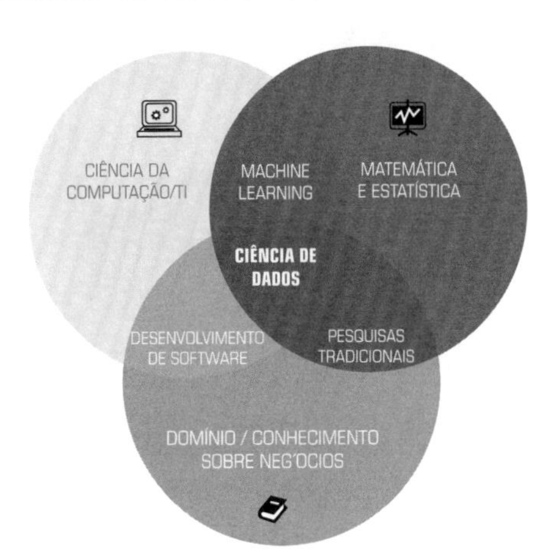

Fonte: Towards Data Science.

A UNIÃO DE CIÊNCIA DE DADOS COM MARKETING

O nascimento do marketing de dados está justamente na fusão ou união de marketing e ciência de dados.

Quando essa união acontece, começamos a entender como os resultados das ações de marketing e as tomadas de decisão podem não apenas ser mais acertadas, mas também como podemos e devemos trazer a exatidão para o dia a dia.

Trabalhar marketing de dados não se trata apenas de acompanhar métricas e KPIs diariamente em planilhas ou dashboards, mas sim de aplicar tecnologia, analytics e business em todo o processo de uma ação ou estratégia de marketing em uma empresa.

Trazer o lado das exatas para uma área de humanas não é uma tarefa simples, mas é necessário na atualidade.

Veja na Figura 4.4 como podemos começar a trabalhar a união de marketing com a ciência de dados.

Figura 4.4 Conceito de marketing + ciência de dados

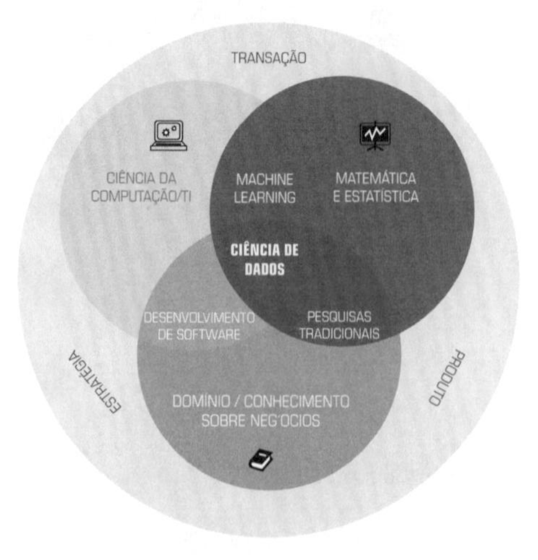

Fonte: O autor.

Repare que os três elementos do marketing estão entre os componentes da ciência de dados. Isso quer dizer que, para termos melhores resultados, tomadas de decisão e exatidão em transações, exploramos a computação e a estatística da ciência de dados. Podemos usar machine learning ou inteligência artificial pura e simples para entendermos diversos padrões de comportamento ou simplesmente usar a tecnologia para nos trazer agilidade com a automação de informação, por exemplo. Falaremos sobre isso nas páginas seguintes.

Entre matemática e estatística e domínio de uma área ou business, trazemos o produto ou serviço. Vamos a um exemplo de como podemos explorar essa interseção.

Imagine que você tenha informações de que um produto ou serviço X traz muitos clientes. Aparentemente, esse é o sonho de toda empresa.

Porém, silenciosamente, esse serviço começa a demonstrar que não é rentável, e seu time começa a ficar atarefado como nunca e não entende por que isso está acontecendo, visto que as vendas vão bem.

Se aplicarmos minimamente o acompanhamento de métricas e KPIs, podemos entender que possivelmente será preciso melhorar processos na execução do serviço ou até mesmo assumir que talvez esse não seja um serviço rentável. Quando aplicamos algo assim, deixamos um pouco de lado o apego pessoal e a emoção para que a lógica trabalhe e nos diga a verdade.

Nesse momento que entra o fator business, para equilibrar o lado frio dos dados com a experiência de mercado. Os anos de experiência podem mostrar melhores caminhos para essa situação, por exemplo, melhorar processos, como foi dito, e até trocar por completo o serviço da empresa. Apesar de parecer complexo tomar uma decisão como essa, é preciso ter maturidade para compreender os melhores caminhos.

E, por último, entre o domínio de uma área ou business e computação, temos a estratégia.

O uso da tecnologia tem o papel de nos alimentar com informações que nos ajudem a criar estratégias mais precisas enquanto o domínio de uma área qualifica e contribui para a criação de uma boa estratégia. De um lado, temos o envolvimento de aquisição de dados e a geração de informação (tecnologia). Do outro, temos a interpretação dessas informações para criar a estratégia (domínio de uma área/business).

AGILIDADE, PRECISÃO E INTELIGÊNCIA

O marketing de dados, ou seja, a união entre ciência de dados e marketing, traz três pilares espetaculares, que, em minha visão, podem ser considerados os três grandes diferenciais a serem trabalhados pelo marketing de dados como premissa básica. Esses pilares são agilidade, precisão e inteligência.

Agilidade para acelerar e nos dar a possibilidade de diminuir e/ou até mesmo eliminar tarefas repetitivas e rotineiras com a tecnologia. Precisão traz maior clareza para tomadas de decisão e nos permite analisar resultados e cenários de negócios de ponta a ponta, ou seja, desde a criação da estratégia, execução das ações até o resultado final da ação. Inteligência é responsável pela interpretação e sabedoria na utilização dos recursos que temos disponíveis em várias frentes. Desde a tecnologia às pessoas para melhor compor o time da empresa.

Quero dizer que a inteligência traz um contraste entre como ser ágil e preciso com tantas possibilidades que podemos explorar.

O papel da inteligência é transformar as possibilidades abundantes em oportunidades, tendo o devido cuidado para não virar oportunismo por meio de escolhas equivocadas e falta de experiência.

Repare que não conseguimos obter uma boa interpretação das possibilidades sem uma boa análise da informação e não conseguimos ser precisos e ágeis sem tecnologia.

São pilares interdependentes. Seria possível obter ótimos resultados sem esses pilares? Sim. Porém muitas empresas ficariam ultrapassadas rapidamente sem o nascimento da união do marketing com a ciência de dados. Veja na Figura 4.5 resumidamente o que é, de fato, marketing de dados.

Figura 4.5 Conceito de marketing de dados

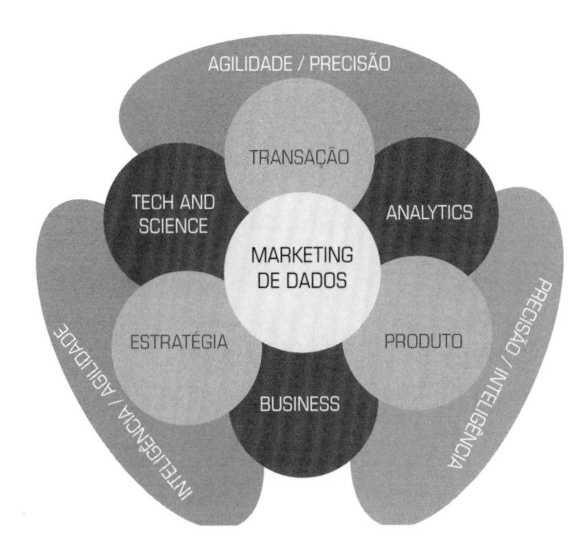

Fonte: O autor.

DESAFIOS DO MARKETING DE DADOS

Como toda mudança e movimento de mercado, os desafios são comuns e até necessários para completar o ciclo de uma transição e ganhar a devida maturidade.

Veja como foi a entrada de aplicativos como Uber em países e cidades a que chegou. Tivemos embates fortes entre taxistas e os motoristas do aplicativo, inclusive com agressão físicas aos motoristas e, em alguns casos, até mesmo aos passageiros. Desafios são comuns para que haja harmonia e adaptação a novas realidades.

Como seres humanos, somos resistentes às mudanças, mas precisamos passar por elas.

No marketing não é diferente. Como já citei anteriormente, de 2007 em diante, no Brasil, vivemos a era da digitalização e foi uma grande mudança para o setor de marketing e publicidade. Muitas agências de publicidade, por não se adaptarem na velocidade necessária ou até mesmo por terem sido engolidas pelo digital, fecharam as portas ou diminuíram consideravelmente seus times. Outras agências conseguiram se adaptar e estão lidando melhor com as mudanças.

Em marketing de dados, temos o mesmo comportamento. Desafios e obstáculos em aplicar o conceito são comuns. Acredito que sejam cinco os principais desafios que praticamente toda empresa terá para conseguir aplicar o marketing de dados. Vamos a eles.

1. **Resistência em trabalhar com dados.** O trabalho com dados requer, como premissa básica, uma grande organização de processos, meta, método e rotina de acompanhamento dos resultados. É comum existir resistência em uma empresa que não se orienta por dados, pois a organização traz elementos e informações que antes não estavam expostos. Por isso a cultura é tão importante para um bom trabalho de marketing de dados. Além disso, a utilização da tecnologia e de analytics demanda pessoas com *mindset* que consigam explorar bem esses dois pilares. A melhor maneira de quebrar a resistência é mostrando resultado por meio do trabalho que está sendo realizado. Contra dados não há argumentos. Se o trabalho está tendo resultados positivos, basta mostrar. Assim, quem for resistente entenderá que o caminho dos dados pode ser um grande aliado. Outra maneira de quebrar a resistência das pessoas é se aliar a elas e mostrar de forma gradativa como o marketing de dados pode ser útil gerando mais agilidade com a tecnologia e precisão com analytics.
2. **Quebra de cultura.** Esse talvez seja o maior desafio de todos, por lidar com pessoas. Quando falamos de quebrar ou romper barreiras em uma cultura, estamos falando de mudar algo já

existente na empresa desde o dia 0. Portanto, a implementação do marketing de dados precisa ser gradativa. É possível que aconteça de uma empresa não ter a cultura de lidar com tecnologia e dados e está tudo bem. O começo normalmente não é agradável e chega a ser frustrante para todas as partes, porque é preciso mudar cabeças que antes eram acostumadas a um formato de trabalho. Como seres humanos, temos resistência a qualquer mudança. Isso é nosso. Algumas pessoas lidam melhor com mudanças do que outras e, quando encontrar essas pessoas na empresa, as tenha como embaixadores da causa. Facilita muito quando temos pessoas internamente engajadas. O "contágio" se torna mais fácil.

3. **Eliminar o achismo da cabeça das pessoas.** Esse poderia ser um subtópico da quebra de cultura, porém vale ser um tópico específico, pois ouvimos muitos "eu acho que isso ou aquilo vai ser legal", ou "meu concorrente faz, então precisamos fazer também". Sem embasamento é muito perigoso fazer investimentos, sejam eles baixos ou altos. A melhor forma de lidar com essa situação é ir aos poucos, mostrando como os dados podem contribuir com as tomadas de decisão mais acertadas, elevando o nível do trabalho da pessoa. Mostre que o achismo pode trazer malefícios para a empresa e o negócio em si, elevando o risco de cometer equívocos e erros. Se tiver alguma situação que já tenha acontecido na empresa que exemplifique e embase seus exemplos, melhor ainda.

   Leve cases de sucesso com a utilização de dados e cases de fracasso usando o achismo. Exemplos externos costumam funcionar muito com pessoas "cabeça-dura". De preferência, mostre casos de marcas que são admiradas ou concorrentes.

4. **Não ser *top-down*.** Costumo dizer que a forma mais simples de começar a trabalhar marketing de dados é convencendo os diretores e donos da empresa e fazendo-os ter a consciência do ônus,

mas principalmente do bônus. Se os cabeças da empresa compram a ideia do marketing de dados, eles serão os principais embaixadores do trabalho, o que facilitará muito na implementação da cultura. Não estou dizendo que se os cabeças da empresa não comprarem a ideia será impossível trabalhar com dados, apenas que facilita. A melhor maneira de convencer a diretoria, ***board members*** e donos de empresa é mostrar quão rentável o trabalho com marketing de dados (tech, analytics e business) pode ser para a empresa, podendo gerar crescimentos expressivos para a companhia. Essa estratégia de mostrar a melhoria de rentabilidade costuma ser certeira com C-levels, diretorias e founders.

5. **Ter acesso aos dados necessários.** É comum conseguir autorização para a implementação de marketing de dados e a empresa negar ou dificultar o acesso aos dados. Como já citei, o trabalho com dados pode expor algumas informações que antes não estavam claras. Com frequência, as empresas não liberam acesso aos dados necessários por serem dados "confidenciais". Muitas vezes essa é uma resistência que nem mesmo os integrantes da empresa percebem que estão tendo e usam esse argumento com receio de serem expostos a algo que nem eles mesmos sabem o que é. É apenas medo e precisa ser superado. Apesar de ser comum, é preciso explicar que o trabalho com dados irá esclarecer muitos pontos que antes estavam turvos. E isso é positivo, pois nos permitirá corrigir falhas e otimizar resultados, muitas vezes sem investir mais tempo e dinheiro, qualificando o trabalho cada vez mais.

A melhor solução para lidar com todo e qualquer tipo de resistência é levantar dados sobre tudo, ou seja, se embasar com muita informação e demonstrar propriedade no que fala e faz, a ponto de contrapor os argumentos comumente utilizados. Parece algo óbvio, mas sugiro utilizar dados que mostrem o que acontece com outras empresas que trabalham com dados.

MARKETING *VERSUS* MARKETING DIGITAL *VERSUS* MARKETING DE DADOS

Criei uma tabela (Figura 4.6) que mostra resumidamente as diferenças entre marketing tradicional, digital e de dados. Na realidade, em minha opinião, nem existe uma diferença entre marketing e marketing digital, visto que este é trabalhar marketing utilizando mídias digitais, ou seja, a essência e o conceito são os mesmos.

Portanto, digo o mesmo para marketing de dados. O que diferencia os três tipos são os meios utilizados em cada um e não o fim. Ou seja, como já citei, marketing de dados não é um novo tipo de marketing. No fim das contas, seja qual for o conceito de marketing, a palavra final deve ser RESULTADO, mantendo a essência do conceito. Qual foi o resultado que as ações de marketing trouxeram?

Talvez esse ponto seja o maior diferencial ou o que se destaca em marketing de dados. Vamos avaliar a Figura 4.6. Separei a comparação por quatro elementos: "O que significa", "Canais/Recursos" utilizados em cada um, "Característica do conceito" e "Palavras que classificam cada conceito". Veja:

Figura 4.6 Tabela comparativa entre marketing tradicional, digital e por dados

	MARKETING TRADICIONAL	MARKETING DIGITAL	MARKETING POR DADOS
O QUE SIGINIFICA	Promoção paga que envolve uma campanha em vários canais, com o intuito de atrair a atenção do clientes. Mídia push.	Os custos são menores que o tradicional e envolve tipos de mídia não pagas que permitem ter grande alcance por meio do conteúdo.	Marketing mais efetivo e eficaz por meio do rastreio do comportamento do consumidor.
CANAIS/ RECURSOS	TV, rádio, impresso, PR, telemarketing	Social ads, Search ads, SEO, Inbound marketing, vídeo, blog	Automações, DSPs, DMPs, bots, seres humanos
CARACTERÍSTICA DO CONCEITO	Comunicação push	Comunicação push e atract	Monitoramento do comportamento das comunicações
PALAVRAS QUE CLASSIFICAM CADA ESFERA	Atenção, interrupção, venda agressiva, massivo, custo alto, cliente é procurado	Atração, permissão, educação, ajuda, relacionamento, acessível, consumidores procuram por seu serviço/produto	Otimização, agilidade, inteligência, eficácia, rentabilidade, comportamento, tomada de decisão

Fonte: O autor.

Se pensarmos bem, podemos misturar todos os conceitos quando temos tecnologia como propulsora desse mix. Muitos dizem que a TV, o rádio, o telemarketing, entre outras mídias, irão morrer em função do digital. Talvez o meio de ler um livro ou uma revista irá mudar, mas a mídia revista ou livro não deixarão de existir. A TV não deixará de existir, apenas o modo como a conhecemos há mais de vinte anos. A publicidade feita nela irá mudar. Temos que pensar que com tecnologia tudo pode mudar, e para melhor. Segundo um estudo da Leichtman Research, os dados mostram que nos Estados Unidos, as assinaturas da Netflix ultrapassaram a TV por assinatura em março de 2017. Veja a seguir:

Figura 4.7 A trajetória da Netflix até ultrapassar a TV a cabo

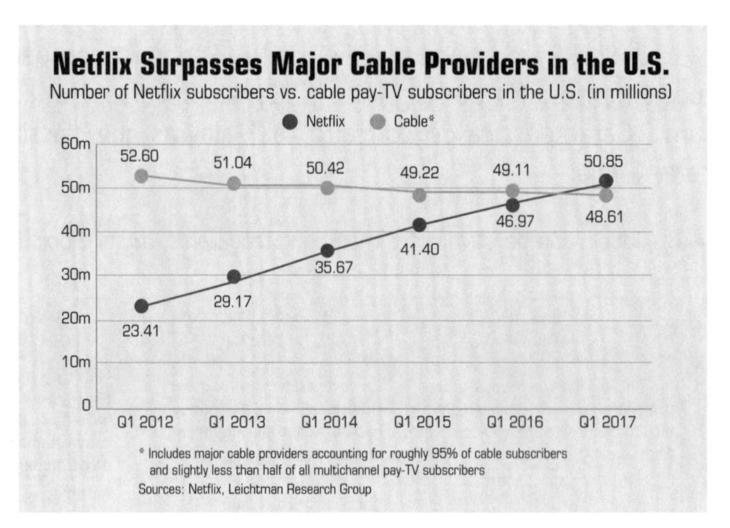

Fonte: Statista chart.

Pensando no item "o que significa" de cada conceito de marketing que temos na tabela, é possível ter uma bela mistura, criando um único significado unindo a tecnologia e que poderia ser algo como: "Marketing é criar promoções pagas que envolvam campanhas em vários canais com o intuito de atrair a atenção de clientes, explorando o meio digital com mídias pagas e não pagas, sendo mais efetivo e eficaz por meio do rastreio do comportamento do consumidor".

Não existe diferença sobre o conceito de marketing. O que o marketing de dados traz e acrescenta é eficiência e eficácia nas ações de marketing por meio do monitoramento do comportamento dos consumidores.

Como seres humanos, somos previsíveis. Por mais imprevisível que uma pessoa queira ser, existem padrões de comportamento e rotinas que podem ser identificados para entregar um conteúdo mais condizente com seus interesses e atrair sua atenção. É basicamente isso que empresas como Google, Samsung, Apple, Amazon e Netflix têm feito para nos entregar melhores conteúdos.

RESUMO DO CAPÍTULO 4

- São espetaculares as possibilidades que podemos criar com os dados. Torna quase infinitas as ações e as oportunidades criadas. A velocidade em que tudo acontece é impressionante, e o nosso desafio é acompanhar e nos adaptar a todas as mudanças pelas quais estamos passando e vamos ainda passar.

- Obter conhecimento sobre os dados nos torna mais aptos a não apenas trabalhar com eles, mas para o que está por vir.

- Até o fim deste livro você será capaz de compreender tendências e entender o poder dos dados.

5

O método API

O método API foi criado com o intuito de facilitar a compreensão de profissionais e empresas sobre como aplicar e implementar o marketing de dados.

Da mesma maneira que até hoje empresas têm dificuldade de implementar estratégias digitais – mesmo após quase quinze anos de "digitalização" –, desafios são enfrentados para se trabalhar com marketing de dados.

O método API segue uma sequência necessária para que a aplicação do marketing de dados seja eficaz e tenha sua devida valorização na empresa, visto que, em muitos casos, a resistência é natural.

O nome API é uma analogia à sigla API que citamos no Capítulo 4 (Application Programming Interface), uma espécie de permissão ao acesso de alguns recursos menos evidentes a um software.

Porém, no caso do nosso método, API significa Agilidade, Precisão e Inteligência, ou seja, a aplicação do que citamos em capítulos anteriores.

Como já sabemos, agilidade pode ser traduzida em utilização de tecnologias, precisão pode ser obtida com analytics, para nos dar maior assertividade em obter respostas, e inteligência se trata do conhecimento profundo em business para unir a experiência de mercado e os conhecimentos de áreas específicas e ter melhor interpretação dos dados gerados pela tecnologia.

É um ciclo sequencial e contínuo.

AGILIDADE

Pense no digital sem tecnologia. Voltando a 2009/2010, quando a publicidade do Google chamava Adwords. A inteligência da plataforma trazia uma condição pela qual, grosso modo, quem pagava mais pelos anúncios era beneficiado e aparecia mais. Era uma simples condição. Era um leilão.

Não existia a tecnologia de hoje, em que muitas variáveis são avaliadas por robôs e algoritmos do Google para qualificar um bom anúncio e landing pages em segundos e milissegundos. Inclusive, em uma palestra em que estive com o presidente do Google Brasil, Fábio Coelho, ele afirmou que o Google atualmente analisa mais de 70 milhões de variáveis em menos de um milissegundo para nos entregar o melhor resultado de busca. Imagine a velocidade disso!

O mesmo vale para as corporações, sejam elas micro, pequenas, médias ou grandes empresas. O que diferencia cada uma é a proporção da geração de dados. Quanto maior o volume de dados, maior deverá ser o investimento em tecnologia. Quando digo investimento, não estou falando necessariamente em apenas valores monetários. Pode ser investimento em tempo e pessoas também.

Para obter agilidade, não basta ter a tecnologia e/ou contratar as ferramentas mais atuais do mercado. Aliás, esse equívoco é cometido por muitas empresas, ocasionando o aumento de custos, pois o retorno não é direto e muitas vezes nem acontece.

Além da tecnologia, é muito importante destacar que processos, rotina e organização são de suma importância para se ter agilidade para obter uma boa análise de dados.

Para ter agilidade, é importante entender o que de fato são necessidades e desafios do marketing na empresa.

Sendo assim, é preciso que você tenha três elementos definidos: metas, ferramentas e método.

Tenha as metas de seu negócio e do marketing definidas, saiba quais são as ferramentas de que precisa para acompanhar as metas e tenha método para acompanhar resultados e rotinas determinadas com o seu time. Se você ainda não tem esses três elementos, é preciso criá-los.

Caso contrário, seria como ter um carro sem volante. Você tem todos os recursos para acelerar e sair andando, mas não conseguirá dar o devido direcionamento. Será uma caminhada desgovernada.

Vamos falar sobre criação de metas no Capítulo 6: "Estratégia de dados", portanto não entrarei em detalhes por enquanto. Quanto a processos, tente entender sobre métodos ágeis e adapte ao seu negócio e ao marketing para levar dinamismo para a empresa.

Vou mostrar um exemplo interessante de como podemos trabalhar metas, ferramentas e método em uma matriz 3 × 3 pautada em três tipos de gestão: estratégico, tático e operacional.

Figura 5.1 Matriz 3 × 3 para acompanhamento comercial de resultados

	META	FERRAMENTA	CHECK POINT
Estratégico	Investimento ROI Vendas	Plano de negócios	Mês
Tático	Impressões IP Por formato	Plano Tático	Semana
Operacional	Impressões IP Por formato Por dia	Calendário de mídia Dashboard	Dia

Fonte: Obabox.

Não se atente por enquanto ao preenchimento da matriz. Vamos entendê-la primeiro.

Precisamos de metas estratégicas, táticas e operacionais para nos guiar. Voltando à analogia do carro, a meta seria o nosso destino, direcionando para algum lugar.

Você pode utilizar como ferramenta planilhas, dashboards ou o que preferir na gestão dos resultados.

O método escolhido para usar nesse exemplo da matriz foi o check point com rotinas periódicas por tipo de gestão (estratégico, tático e operacional).

Então vamos à prática. Quando temos organizados metas, ferramentas e método específico por tipo de gestão, fica mais fácil obter agilidade em tomadas de decisão, por exemplo.

O que a matriz me mostra é que, mensalmente, vou usar o plano de negócios criado para entender como está o investimento realizado pela empresa em mídia (apenas um exemplo), entender se a meta de return of investment (ROI), indicador que calcula o quanto de retorno uma empresa tem a partir de seus investimentos, foi batida e se as vendas foram favoráveis de acordo com o planejado como meta. Fica simples. Normalmente, esses KPIs são acompanhados pela diretoria ou C-levels das empresas.

Semanalmente, será avaliado o plano tático criado para entender como está o volume de impressões de mídias, acompanhar o índice de performance (IP) – esse KPI pode ser específico por mídia e empresas – por formato a ser trabalhado pelo time de mídia. Esse acompanhamento é para tomar decisões sobre as rotas estabelecidas para chegar às metas da empresa e é realizado por gestores.

E diariamente, por meio do calendário de mídia e dashboards (poderia ser uma planilha), o time acompanhará os resultados da operação.

Fiz toda essa contextualização para explicar que, por meio desse cenário organizado e compreensível, criamos a necessidade de entender quais tecnologias serão precisas para gerar agilidade ou entregar mais resultado.

No método API, a tecnologia tem como premissa e objetivo gerar dados, trazer compreensão aos dados, criar automações para tarefas rotineiras, entre outras possibilidades que esse pilar traz para trabalhar com marketing de dados.

A escolha da tecnologia traduz como iremos qualificar nossos dados. Portanto, implementar as tecnologias certas é de suma importância para o sucesso do trabalho.

Para se ter um cenário com agilidade, precisamos essencialmente de tecnologias nos auxiliando em rotinas, porém organização e processos ágeis facilitam muito o trabalho.

Além disso, o principal é você compreender o que realmente tem como objetivo.

Vamos às perguntas necessárias para auxiliá-lo a buscar tecnologias:

1. Qual seu objetivo no marketing?
2. O que você precisa para alcançar esse objetivo?
3. O quanto a tecnologia pode o ajudar a responder a perguntas que ainda não foram respondidas?
4. Quais tecnologias você acredita que podem o ajudar a responder a essas perguntas? Faça uma lista.
5. Quem irá implementar essas tecnologias?

PRECISÃO

"O fim do achismo." O nome do livro já diz o quanto o marketing mudou. Empresas e profissionais costumam escolher suas estratégias de marketing e/ou tomar decisões de forma empírica, acreditando que suas experiências e seu conhecimento sobre o mundo apenas da experiência sensorial sejam suficientes para a escolha da estratégia de marketing.

Com o digital, foi possível mensurar melhor os resultados das ações de marketing, trazendo maior precisão nas informações geradas. Portanto é possível mensurar nos mínimos detalhes cada ação estabelecida.

Porém, de nada adianta gerar informações e não saber o que fazer com elas. Quando isso acontece, não apenas as escolhas de estratégias correm o risco de serem equivocadas, mas também as análises podem não ser as melhores.

Precisamos saber analisar os dados e entender o que eles estão nos dizendo. É nessa parte que entra analytics, para nos ajudar a ter maior precisão em nossas tomadas de decisão em marketing digital. Sejam escolhas relacionadas a estratégias, canais de aquisição ou mudanças de rota de ações de marketing.

Nos dias de hoje, ser assertivo é essencial para tomadas de decisão ágeis e manter o negócio girando.

Um ponto importante em precisão é a acurácia dos dados e confiança em gerar as informações corretas. Se houver qualquer equívoco nas informações, teremos um efeito cascata. A decisão será equivocada e o resultado poderá ser catastrófico, na mesma proporção em que a tomada de decisão empírica pode trazer.

Caso não haja organização e acurácia nos dados e informações geradas, a melhor decisão a ser tomada é dar um passo para trás, organizar os dados e voltar a gerar informação.

Você pode estar se perguntando: "Como saber se as informações estão corretas e confiáveis?". Uma boa maneira é você gerar as informações novamente (manualmente ou não) e comparar com os resultados que tem.

Apenas como exemplo, se você tem uma automação de informação – quando suas informações são geradas automaticamente de tempos em tempos –, confira se os dados obtidos estão condizentes e iguais aos de sua fonte de dados. Uma fonte de dados pode ser uma ferramenta de mídia self-service como Google Ads ou Facebook Ads. Vá diretamente nas contas das mídias e veja se as informações são as mesmas.

A precisão na informação permite uma tomada de decisão correta, mas a análise da informação gerada se torna o elemento crucial para se ter a precisão necessária para a assertividade em um projeto de marketing.

INTELIGÊNCIA

O conhecimento em business nos traz um olhar rico sobre utilização da tecnologia e interpretação das informações em suas análises (analytics).

Além do conhecimento em business, podemos adicionar à etapa de inteligência conhecimento e experiência em áreas específicas do marketing e do negócio como um todo.

Inteligência traz a perspectiva do mix entre dados e a experiência exercida pelo profissional em analisar as informações e/ou trabalhar as tecnologias a seu favor, diminuindo riscos de cometer equívocos, seja na escolha de uma tecnologia, seja na interpretação de uma informação.

O intuito da etapa inteligência é trazer clareza e equilíbrio entre o lado frio dos dados e o calor humano com sua experiência para melhores tomadas de decisão.

Quando se trata de dados, o trabalho é investigativo e as respostas normalmente estão nos mínimos detalhes. A atuação precisa ser de ponta a ponta para termos conhecimento do todo. Pode acontecer de os resultados de marketing estarem incríveis, mas o *churn* (indicador do índice de evação dos clientes) da empresa estar alto.

Esse cenário seria como encher um balde furado, pois a aquisição de clientes está acontecendo, mas a retenção está em déficit.

Em situações em que os dados não fazem parte do dia a dia da empresa ou do profissional, se as vendas estiverem muito mal, a pressão sempre cai sobre o setor de marketing e vendas, especificamente para atrair mais oportunidades de negócio e clientes para a empresa.

A exigência é maior para conseguir mais visitantes no site ou a aquisição de leads.

Quando trabalhamos com dados, podemos detectar qual etapa do ciclo de compra do consumidor está tendo problemas, agir com menos esforço e obter mais resultado.

Vamos a um exemplo:

Uma empresa estava tendo bons resultados de vendas por dois anos seguidos e crescia a uma taxa de 80% por ano. De repente, os resultados começaram a piorar e a pressão no setor de vendas aumentou muito.

A pressão também chegou ao setor de marketing para adquirir mais interessados nos produtos e serviços da empresa.

Nesse momento, a visão de business (inteligência) deve atuar para começar a fazer as melhores perguntas.

Afinal, por que os resultados pioraram depois de dois anos seguidos de crescimento?

Esse é um momento de muita tensão, e, na cabeça dos diretores, aparentemente o aumento das vendas resolveria os problemas.

Situações como essa refletem negativamente nos planos de todos os setores, por que o aumento das vendas se torna prioridade, e o plano traçado anteriormente costuma ficar de lado, o que compromete a evolução da empresa.

Assim, não concordando com toda essa decisão, um profissional da área de marketing e outro de vendas se reuniram e levantaram alguns dados de todo o ciclo de compra do consumidor da empresa.

Detectaram que em atração e vendas, os resultados tinham melhorado ao invés de piorado. Diante desse cenário, o que poderia estar acontecendo?

Após análises aprofundadas de cada etapa do ciclo, detectaram que parte do problema estava na retenção do cliente. Como venderam muito nos últimos anos e cresceram a passos largos, a retenção ficou prejudicada.

Dessa forma, ao mesmo tempo que conquistavam muitos clientes, perdiam-se outros tantos. Assim, os números de vendas não estavam suprindo as perdas.

Resumo da história: a necessidade, de fato, era reter os clientes que já estavam na base, não obter novos.

Analisando todo o ciclo de compra, foi possível enxergar que o problema não estava no início do ciclo em etapas de marketing e vendas, mas no fim dele, na retenção da clientela.

Com essa informação, garantiu-se mais economia, tendo em vista que reter um cliente é muito mais barato do que adquirir novos.

Este é o cenário almejado por todos nós: ter tudo muito bem mensurado e perfeito para agir de modo preciso, economizando ou deixando de gastar dinheiro desnecessariamente.

No caso citado houve muito mais estratégia que operação. A visão do todo e não apenas do marketing e/ou vendas permitiu enriquecer as análises e pensar no negócio.

Se todos simplesmente acatassem a ordem de vender mais, teriam uma grande operação desnecessária para tentar resolver o problema.

O *mindset* de análise dos dados foi certeiro para não prejudicar ainda mais uma situação nada confortável para toda empresa.

Existem muitas dúvidas de como podemos nos basear em dados para convencer clientes ou diretores a ponto de provar que a estratégia se faz mais útil do que a operação.

Para conseguir provas, não adianta mudar tudo da noite para o dia. É crucial que a mudança seja gradativa para que todos possam enxergar a melhoria a cada novidade e/ou evolução apresentada.

Colocar na cabeça de decisores ultrapassados que agora é possível medir todo o processo sem a necessidade de grandes esforços para atingir metas não é uma tarefa fácil. Mas, se fizer aos poucos, a taxa de sucesso aumenta.

O cenário do exemplo citado mostra como a inteligência deve atuar com a visão macro do processo e o quanto o micro é limitado perante uma situação de negócio.

Portanto, a inteligência se torna crucial em marketing de dados para enriquecer as tomadas de decisão do ponto de vista do negócio como um todo.

APLICANDO A CIÊNCIA

Aplicar a ciência de dados, ou o marketing de dados em si, requer seguir um processo que criamos baseado em alguns métodos já conhecidos com a mistura de nossas experiências.

Sabemos que a aplicação do marketing de dados demanda algo maior que um processo, mas, para que haja sua devida aplicação, precisamos seguir alguns passos para determinar como estamos, o que fizemos para chegar até aqui e aonde queremos chegar.

O processo para ajudar a criar as perguntas certas e aplicar a ciência tem sete etapas que são sequenciais, ou seja, se uma não for concluída, não aconselho dar sequência para a próxima.

As sete etapas são as seguintes:

1. Entendimento do cenário
2. Definir fontes de dados
3. Extração dos dados
4. Organização dos dados
5. Visualização dos dados
6. Análise dos dados
7. Tomada de decisão

A aplicação do processo requer muita disciplina e precisão em sua execução, pois desse processo surgirão as primeiras perguntas e hipóteses para respostas.

Caso alguma etapa seja ignorada, as chances de obter respostas equivocadas ou erradas aumentam.

Vamos à explicação de cada etapa.

1. ENTENDIMENTO DO CENÁRIO

Para conseguir obter exatidão em um processo de marketing de dados, precisamos conhecer o cenário em que iremos atuar.

Quando digo conhecer o cenário, refiro-me a entender a situação do marketing da empresa e o negócio em relação a estruturação, histórico, resultados, objetivos, metas, ações realizadas e indicadores que são acompanhados por todos.

Além disso, é importante entender quem são os responsáveis e corresponsáveis pelo projeto, além de pessoas que irão acompanhar o processo e os resultados de forma direta e indireta.

A primeira etapa do processo nos permite ter uma clareza maior do "cenário de batalha" em que iremos atuar. Existe uma frase que diz: "Quando houver disparidade entre o mapa e o terreno, fique com o terreno". Essa frase é do Exército canadense, e seus membros usaram isso como premissa em uma época que ainda não existia GPS para guiar os soldados.

Portanto, essa primeira etapa é para nos servir como GPS, para que possamos seguir o processo de forma assertiva.

Lembre-se: é importante saber fazer as perguntas corretas para obter respostas corretas. Sendo assim, nessa primeira etapa teremos várias perguntas que devem ser respondidas. Vamos a elas:

1. Quais são o cenário e os desafios atuais de marketing da empresa?
2. Como é a estrutura da empresa em setores?
3. Quais foram os esforços de marketing nos últimos seis meses?
4. Quais foram as dificuldades e os aprendizados nos últimos seis meses em marketing?
5. Quais foram os acertos e as melhorias nos últimos seis meses em marketing?

Esse primeiro bloco de perguntas mostrará o verdadeiro cenário que você irá enfrentar. Além disso, com as perguntas 2, 3 e 4 você entenderá melhor sobre a maturidade das pessoas envolvidas direta e indiretamente no projeto. Obter o histórico do time e das ações de marketing, vendas, atendimento ao cliente e o que mais puder da empresa é informação para contribuir na criação de estratégias de marketing. O objetivo desse bloco é captar informação sobre os envolvidos e quais foram as ações de marketing nos últimos meses. Essas informações contribuem para criar ações mais assertivas, evitando repetir e aprender com os erros.

6. Analistas, gerentes e diretores estão a par de todas as dificuldades e acertos? Em caso negativo, por quê?
7. Existem metas bem definidas e embasadas para os próximos três meses? Se sim, quais são e como foram criadas?
8. Existe alguma previsão sobre algo que pode ser implementado, melhorado ou mesmo algum risco nos próximos três meses?
9. Existe algum tipo de sazonalidade ou recorrência no negócio? Se sim, quais são e quando ocorrem?
10. Quais métricas e KPIs são acompanhados atualmente pelo time de marketing? Listar quais são.
11. Quais problemas a empresa enfrenta quando se trata de marketing, tech e dados?

O segundo bloco de perguntas é mais voltado para o negócio em si. Precisamos ter conhecimento sobre os planos da empresa e como as pessoas estão envolvidas em todo o processo e quem são elas.

Você deve ter notado que fizemos algumas perguntas macro e outras micro. Aqui, coloquei algumas questões para direcionar você um pouco melhor a respeito de como iniciar um projeto. No entanto, fique à vontade para criar novas perguntas e melhorar o processo para você.

Aliás, é comum criarmos perguntas específicas para determinados projetos, dada a peculiaridade que cada um tem. Normalmente fazemos perguntas específicas relacionadas ao mercado em questão.

Lembrando que, fazendo as melhores perguntas, teremos as melhores respostas.

2. DEFINIR FONTES DE DADOS

A etapa de definição de fontes de dados é de suma importância, pois ela nos dará o insumo necessário para gerar informações úteis. Chamamos de fonte de dados a origem de determinado dado ou informação. Portanto, planilhas, ferramentas (de marketing ou não), pesquisas internas e externas (da própria empresa ou mercado), fontes primárias, secundárias ou terceiros.

Fontes primárias são dados da empresa, ou seja, sistemas e planilhas que podem ser acessados e explorados. Dados secundários são fontes em que alugamos dados para usufruir das informações de alguma forma. Plataformas self-service como Facebook Ads e Google Ads podem ser consideradas fontes secundárias.

Fontes terceiras são redes sociais e fontes de dados públicas, como dados de governo.

Toda e qualquer fonte de dados deve ser listada nessa etapa. Depois essa listagem precisa passar por um filtro para entender o que realmente deve ser explorado como fonte de dados do projeto. Alguns exemplos de fontes de dados: web analytics, CRM, ERP, planilhas de controle, ferramentas de automação, entre outras.

3. EXTRAÇÃO DOS DADOS

Agora precisamos realizar a extração dos dados de cada fonte. Por isso, às vezes será necessário filtrar uma ou outra fonte, para não ficar algo muito extenso, correndo o risco de inviabilizar a extração.

Antes de extrair os dados, precisamos definir três parâmetros:

1. **Termos e formatos:** quais os formatos dos dados serão trabalhados? Ex.: xlsx, imagem (png, jpg etc.), PDF, áudio, API, webhook, entre outros. Quando temos dados externos, é interessante entender os tipos de termos que serão extraídos. Ex.: Termos relacionados à marca, mercado ou comportamento do consumidor.

Vamos dar mais atenção aos tipos de termos que podemos extrair, pois é muito importante entender esse contexto.

Tipos de termos para extrair dados externos

Se você ainda não sabe, é possível extrair dados externos e públicos de redes sociais, dados de governo (o Brasil disponibiliza no site http://dados.gov.br/), portais de notícias, blogs, entre outras fontes, transformando esses dados em informação útil. Existem diversas ferramentas de monitoramento que realizam a extração dos dados das fontes citadas. Basta pesquisar no Google por "ferramentas de monitoramento para redes sociais". Não vou me arriscar a listar alguma ferramenta específica, pois elas têm recursos e peculiaridades que você pode conferir realizando a pesquisa.

O objetivo da extração e do tratamento de dados sempre será descobrir algo direcionado a algum problema ou a uma situação. Independentemente da fonte de dados, se primária (dados próprios), secundária (dados alugados) ou terceira (dados externos públicos), os tipos de termos devem ser definidos antes de realizar a extração e o tratamento dos dados.

A definição dos termos dará um primeiro direcionamento sobre o objetivo e o que extrair dos dados para o tratamento das informações em seguida.

Sendo assim, temos alguns tipos de descobertas a serem realizadas e vou listá-las aqui.

Podemos descobrir menções ou gerar informações que nos falem sobre:

a. Marca

   Pensando em marca, podemos descobrir o que, como e quando falam de sua empresa.

b. Mercado

   Em mercado, podemos descobrir o que falam dos concorrentes diretos ou indiretos (marcas fora do Brasil podem ser consideradas concorrentes indiretos) e a opinião das pessoas sobre serviços e produtos oferecidos do seu mercado, além de suas satisfações e insatisfações sobre eles. Ou seja, aqui podemos encontrar oportunidades de melhorias que os consumidores estão exigindo em ambientes públicos e solucionar diretamente uma "dor" que o mercado está sentindo (baita oportunidade por sinal).

c. Comportamento

   E o que as pessoas falam do mercado em si? O que elas fazem? Ou seja, o que consumidores, portais de notícias e concorrentes estão abordando de conteúdo sobre o mercado em questão. Além disso,

> podemos descobrir o que consumidores falam e como falam (linguagem) com esse tipo de termo. Essas informações são úteis para entender como tratar e lidar com consumidores em estratégias de conteúdo e marketing como um todo. Eu mesmo, quando vou criar algum novo produto ou melhorar um já existente, avalio mais o que as pessoas falam DO mercado em si, e menos NO mercado em si. Confundiu a cabeça? Vou explicar. A diferença entre DO e NO é que, no primeiro, ouço ou analiso o consumidor, e no segundo ouço e analiso os profissionais inseridos no mercado. São visões e perspectivas diferentes, muitas vezes complementares. Claro, em determinadas situações esse formato se inverte, e ouço mais os profissionais do que os consumidores. A prioridade é definida por meio do objetivo de cada projeto.

Uma pergunta não muito comum, mas pertinente sobre tipos de termos é: "Quanto de material extraio de cada tipo de termo?".

Para a extração desses dados externos, principalmente de redes sociais e portais de notícias, chamamos de menções o que é extraído, ou seja, é contabilizado o número de menções extraídas das fontes de dados. Se você utilizar uma ferramenta de extração de dados em redes sociais, verá que muitas ferramentas contabilizam o número de menções.

Para definir quanto desse material vamos extrair por tipo de termo, existe uma distribuição-padrão que é a seguinte: extraímos ou analisamos 30% do que é mencionado sobre a marca (o que falam da marca), 10% de mercado (o que falam dos concorrentes, produtos e serviços) e 60% de comportamento (o que e como falam e o que fazem).

Se você quiser distribuir de acordo com o que você achar pertinente, sem problemas. Fica a seu critério. O formato citado 30/10/60 é apenas uma referência.

Nesta parte do livro, estamos falando de extração de dados públicos de mídias sociais, portais de notícias, blogs, entre outros. Não podemos esquecer dos dados próprios (primários) que são extremamente ricos em informação. A diferença entre dados externos e próprios é a organização desses dados, além do controle e do conhecimento das informações contidas na base da empresa. Todo o processo que estamos estratificando pode ser utilizado para dados tanto próprios quanto públicos. A diferença está na aplicação em si. Vamos discutir sobre isso nas próximas páginas.

2. **Períodos:** como segundo parâmetro temos os períodos que representam qual é o tamanho da amostra, ou seja, qual é o período a ser extraído da fonte? Ex.: Últimos doze meses, de janeiro/2018 a janeiro/2019 ou os últimos sete dias. Além disso, é importante saber se haverá comparações entre períodos para que ocorra a extração dos dados no período correto, permitindo as comparações e análises necessárias. Por exemplo, quero comparar os resultados de janeiro/2019 com janeiro/2018 e entender se houve melhora, piora ou equilíbrio entre esse período.
3. **Definir as fontes de dados e mídias (já fizemos na etapa 2 do método):** portanto, resumindo a etapa 3 do processo "extração dos dados", precisamos ter três parâmetros estabelecidos. Termos e formatos, período e fontes de dados.

4. ORGANIZAÇÃO DOS DADOS

Apesar de todas as etapas do processo serem extremamente importantes, a etapa 4 é a em que pegamos tudo o que fizemos até o momento e organizamos de forma que a informação fique homogênea a todos os envolvidos direta e indiretamente no projeto de dados.

Nessa etapa, classificamos toda informação útil transformada dos dados. Basicamente, criamos um mapa para organizar todos os dados e adicionamos em um documento para que tenha clareza de o quê, como, quando e de onde as informações foram extraídas.

Para ter a organização homogênea e clara, criamos o dicionário de dados, uma planilha em nuvem para dar a devida caracterização da extração dos dados.

Você encontrará alguns formatos de dicionário de dados para analytics na internet, mas o que vou mostrar a você agora é um dicionário adaptado para marketing. Esse modelo facilitou muito a comunicação entre pessoas e setores envolvidos em vários projetos desenvolvidos.

Na realidade, o dicionário começa a ser montado desde a primeira etapa, quando começamos a definir as métricas e KPIs que serão acompanhadas. Mas, nessa etapa, a documentação é criada.

Um dicionário de dados deve conter:

Categoria: algumas empresas e projetos envolvem um grupo de categorias diferentes. Por exemplo, pode acontecer de você trabalhar um projeto voltado para mídias sociais e compra de mídia. Podemos ter algumas categorias diferentes para essas mídias de acordo com o objetivo. Você pode ter uma categoria perfil que buscará saber quem são os fãs que curtem sua página em mídias sociais e outra categoria seria Social Ads, que mostrará dados importantes para entender a performance de sua mídia. Portanto, a categoria insere uma hierarquia da informação, métrica ou KPI. Você pode usar a categoria também para definir o tipo de termo que você abordará.

Tipo de informação: o tipo de informação caracteriza de qual nível empresarial se trata uma informação. Estratégico, tático ou operacional. Essa separação é importante para deixar claro quem irá consumir a informação diretamente.

Status: de forma prática, o status tem a função de informar se aquela informação listada está pronta para ser consumida ou não.

Métrica, KPI ou termo: o próprio nome já diz. Nessa parte listamos as métricas, KPIs e os termos que vamos acompanhar.

Fonte do dado: aqui, listamos a fonte de dados da métrica, KPI ou do termo.

Periodicidade: trata-se do período necessário para a extração do dado e da informação. Exemplos: tempo real, diário, semanal, mensal, trimestral etc.

Comparativos: qual comparativo precisa ser realizado? (Caso tenha.)

Critérios para tratar o dado: é possível que alguma métrica ou KPI exija um tratamento específico de filtragem ou junção de métricas para a formação de um KPI. Esse critério específico é informado aqui.

Exemplo de critério: "Realizar filtro pela cidade de Belo Horizonte ou São Paulo". Fica claro que a informação dessa linha específica terá apenas informações de Belo Horizonte e São Paulo.

É importante deixar claro que esse campo não é apenas para filtros, mas, sim, para critérios utilizados para tratar um dado.

O que analisar: esse campo nos ajuda a começar a entender o porquê de uma métrica, KPI ou termo serem acompanhados. Ajuda a separar informações úteis e desejadas.

Qual decisão posso tomar: esse campo informa qual decisão pode ser tomada com a informação extraída. Ou seja, qual utilidade ela tem.

Observação: esse campo é para preencher alguma mudança, alerta ou qualquer informação que impacta na geração da informação listada. Esse é um campo livre.

Cada elemento criado é uma coluna e cada linha é uma métrica, KPI ou termo. Veja o exemplo a seguir de como fica um dicionário de dados preenchido.

Figura 5.2 Exemplo de dicionário de dados

A	B	C	D	E	F	G
Categoria	**Tipo de informação**	**Status**	**Qual métrica/KPI precisamos?**	**Periodicidade**	**Comparativos**	**Fonte do dad**
	Tática	ok	Visitas	Semanal/Mensal	Mês anterior	Google Analytics
	Tática	ok	Leads	Semanal/Mensal	Mês anterior	RD Station
	Tática		Novos leads	Semanal/Mensal	Mês anterior	RD Station
	Tática	ok	Oportunidades	Semanal/Mensal	Mês anterior	RD Station
	Estratégica		Taxa de conversão entre visitas e leads	Semanal/Mensal	Mês anterior	Google Analytics
	Estratégica		Taxa de conversão entre leads e oportunidades	Semanal/Mensal	Mês anterior	RD Station
	Estratégica		Taxa de conversão entre oportunidades e inscritos	Semanal/Mensal	Mês anterior	RD Station e Pipedri
	Tática	ok	Total de inscritos	Semanal/Mensal	Mês anterior e m	Pipedrive
	Tática	ok	Total de confirmados	Semanal/Mensal	Mês anterior e m	Pipedrive
	Tática	ok	Total não confirmados	Semanal/Mensal	Mês anterior e m	Pipedrive
	Tática	ok	Total de cancelamentos	Semanal/Mensal	Mês anterior e m	Pipedrive
	Estratégica		% de confirmados nos inscritos	Semanal/Mensal	-	Pipedrive
	Estratégica		% de não confirmado nos inscritos	Semanal/Mensal	-	Pipedrive
	Estratégica		% de cancelados nos inscritos	Semanal/Mensal	-	Pipedrive
	Estratégica	ok	Custo por inscrito	Semanal/Mensal	Mês anterior	Adwords e Facebook
	Estratégica	ok	Custo por inscrito efetivado	Semanal/Mensal	Mês anterior	Adwords e Facebook
Geral	Estratégica	ok	Custo por não confirmado	Semanal/Mensal	Mês anterior	Adwords e Facebook
	Estratégica	ok	Custo por venda cancelada	Semanal/Mensal	Mês anterior	Adwords e Facebook
	Estratégica		Forecast inscritos	Semanal/Mensal	-	ID control
	Estratégica		Forecast inscrições efetivadas	Semanal/Mensal	-	ID control
	Estratégica	ok	Evolução anual de visitas	Ano	-	Google Analytics
	Estratégica	ok	Evolução anual de leads	Ano	-	RD Station
	Estratégica	ok	Evolução anual de novos leads	Ano	-	RD Station
	Estratégica	ok	Evolução anual de oportunidades	Ano	-	RD Station
	Estratégica	ok	Evolução anual de inscritos efetivados	Ano	-	Pipedrive
	Estratégica	ok	Origem/mídia da inscrição total	Semanal/Mensal	-	Google Analytics
	Estratégica	ok	Custo por inscrito por canal total	Semanal/Mensal	Mês anterior	Google Analytics
	Estratégica	ok	Investimento Adwords	Diário/Mensal	Mês anterior	Adwords
	Estratégica	ok	CPA Adwords	Diário/Mensal	Mês anterior	Adwords
	Estratégica	ok	Conversões Adwords	Diário/Mensal	Mês anterior	Adwords
	Estratégica	ok	Investimento Facebook	Diário/Mensal	Mês anterior	Facebook Ads
	Estratégica	ok	CPA Facebook	Diário/Mensal	Mês anterior	Facebook Ads
	Estratégica	ok	Conversões Facebook	Diário/Mensal	Mês anterior	Facebook Ads

Fonte: O autor.

O trabalho com dados traz um elemento que muitas empresas e profissionais não têm. Esse elemento é a disciplina para manter todo o trabalho organizado e documentado. Pular etapas de processos e/ou não manter tudo 100% organizado é comum na área de marketing e comunicação.

O trabalho com tecnologia, dados e business não permite que isso aconteça. O fato de existir uma etapa para a organização dos dados mostra a importância de ter a disciplina em sempre manter todo o processo organizado para garantir a geração de uma boa informação útil, pois, caso contrário, torna-se perigoso. Imagine gerar uma informação útil errada ocasionando uma decisão errada?

Uma decisão errada pode prejudicar uma empresa e causar perdas significativas. Portanto, organização é uma das chaves de sucesso em um projeto de marketing de dados. Mantenha a disciplina.

5. VISUALIZAÇÃO DOS DADOS

A visualização dos dados, também conhecida como "dataviz" (abreviação de data visualization), é a técnica ou conceito de transformar dados e informações textuais em elementos gráficos, tornando a leitura e a absorção de uma informação mais agradável e democrática para todos.

Muitas vezes, determinada informação pode se tornar confusa ou não ser muito clara quando está em uma planilha ou em uma apresentação de slides.

Existem dois tipos ou categorias de dataviz. Temos o dataviz de exploração, que mostra a história ou o significado que os dados querem representar, e o dataviz de explicação, que mostra ou conta a história para uma audiência específica. Independentemente de qual seja o tipo de dataviz, eles precisam ter como objetivo atingir as expectativas do público-alvo, ou seja, explicar o que os dados e as informações exibidas estão dizendo.

Independentemente de qual seja o tipo de dataviz, eles precisam ter como objetivo atingir as expectativas do público-alvo, ou seja, explicar o que os dados e as informações exibidas ali estão dizendo.

Existem vários tipos de dataviz, os mais populares são os dashboards ou painéis de controle e infográficos. Vamos nos aprofundar um pouco mais nesses dois tipos.

Os dashboards, mais utilizados em ambientes corporativos, são gráficos que mostram as informações da empresa, seja por meio de visualizações gráficas, tabelas ou ferramentas textuais. Os infográficos são muito utilizados para apresentar informações de forma mais amigável a públicos amplos e que não necessariamente estão inseridos em um contexto ou ambiente específico.

Em um projeto em que trabalhei para um portal de notícias automotivas, por exemplo, criamos uma estratégia que consistia em mensalmente informações sobre o mercado automotivo serem exibidas em redes sociais e canais de comunicação do portal. Vimos que as pessoas se interessavam, e as informações eram basicamente exibidas em números e letras grandes em uma imagem. Porém precisávamos aumentar o alcance das informações que eram valiosas. E não teria outra maneira senão elevar o engajamento e a atração do material que estávamos criando.

De prontidão, pensamos em um infográfico que exibisse as informações de forma impactante. No processo de escolha da informação que seria trabalhada nesse infográfico, um dos temas mais importantes que tínhamos foi um estudo intitulado "Por que os carros são tão caros no Brasil?".

Criamos o infográfico e fizemos versões dele para postar em diferentes canais de comunicação do portal. Na comunidade automotiva, o infográfico viralizou e foi um sucesso, chegando a ser mencionado no portal da revista *Exame*.

Figura 5.3 Por que o carro é tão caro no Brasil?

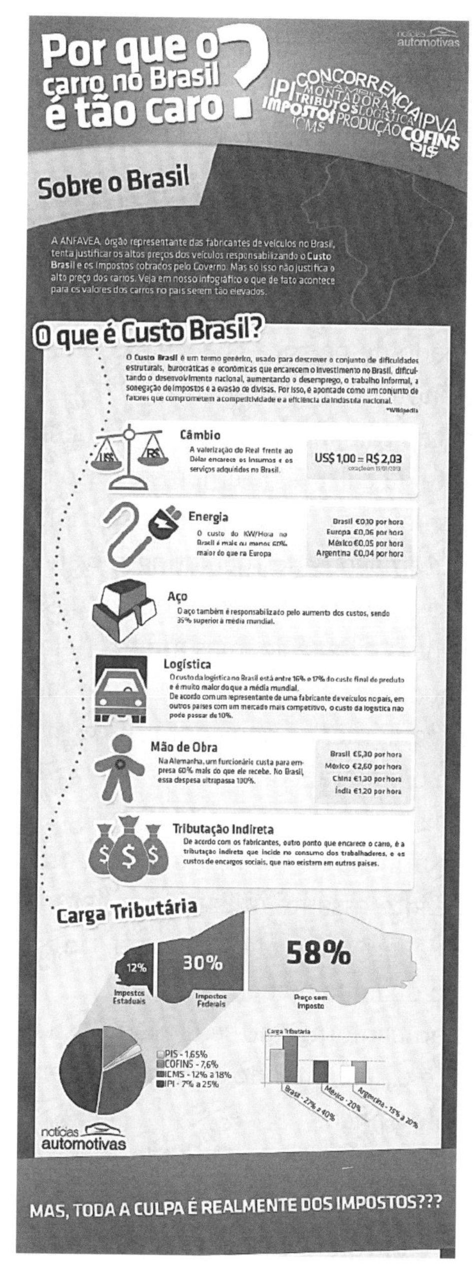

Fonte: Portal Notícias Automotivas.

Voltando aos dashboards, como mencionei, eles são utilizados frequentemente como painéis de controle em empresas para acompanhamento de resultados.

O melhor formato para explorar e aproveitar dashboards é trabalhar o que chamamos de gestão à vista das informações.

Como dizia William Edwards Deming, "não se gerencia o que não se mede". Adiciono: o que não se vê nem acompanha não se identifica. O que quero dizer com isso é que podemos ter o melhor dashboard com a melhor tecnologia e visualização. Caso esse painel não esteja à vista, para ser acompanhado de perto, a chance de ser esquecido e deixado de lado é muito grande.

Dedicamos um capítulo inteiro à cultura de dados, e a gestão à vista precisa fazer parte da cultura da empresa. Caso contrário, a eficácia de um dashboard será mínima. Há muitos exemplos assim nos sistemas ERPs, CRM, automações de marketing e web analytics, que têm tecnologia e recursos o suficiente para produzir dashboards com informações relevantes para o negócio, mas muitos deles são ignorados.

Para criar dashboards, o storytelling se faz necessário, pois um dashboard não faz nada menos que contar uma história visualmente. O mesmo vale para o infográfico.

Para contar as histórias, diversos elementos gráficos são utilizados, e cada um tem sua utilidade e forma de representar uma informação. Por exemplo, não é interessante utilizar uma demonstração de evolução financeira mensal em um gráfico de pizza. Uma boa representação para isso é o gráfico de linha ou barras.

A forma como uma informação será criada visualmente dependerá da história que você está contando e, principalmente, do contexto do dashboard ou do infográfico.

Podemos criar três tipos de dashboards: estratégico, tático e operacional, e um detalhe importante que é ignorado na geração de relatórios e painéis de controle é entender o público que irá consumir as informações exibidas. Quando digo público, refiro-me aos consumidores diretos daquelas informações.

É comum analistas cometerem o equívoco de colocar em relatórios e dashboards informações operacionais para mostrar a executivos enquanto eles querem visualizar e entender apenas o resultado gerado por meio das ações, e não as métricas de mensuração das ações geradas.

O que quero dizer com esse tópico é que no momento em que vamos construir um dataviz é preciso entender quais métricas, KPIs ou informações serão exibidas e quem irá consumi-las diretamente. Após esse entendimento, é preciso validar se o formato visual criado está suficientemente sólido para uma compreensão que permita a tomada de decisão.

Veja a seguir como seria a distribuição da informação de acordo com cada tipo de público:

- Estratégico: executivos, *decision makers*, diretores e C-levels
- Tático: coordenadores e supervisores
- Operacional: analistas e estagiários

Essa não é uma regra soberana, mas sim o que vivi em minha experiência e deu certo. Já cometi erros em mostrar informações operacionais para diretores com o objetivo de deixar claro o que estava fazendo e os resultados das ações propostas. Porém, quando informações operacionais são mostradas ao público que consome informações estratégicas, cria-se um atrito direto, perdendo o verdadeiro sentido da informação. Ainda que existam exceções, a maioria dos diretores quer ver o resultado alcançado, e não o que foi feito para alcançá-lo.

Se vamos criar um dashboard em que diretores e executivos serão o alvo, será necessário construir algo mais estratégico, com indicadores importantes sobre o negócio.

O melhor resumo que já vi e particularmente me ensinou muito foi um framework que o designer David McCandless – especialista em data visualization – criou.

Resumidamente, no framework da Figura 5.4 ele mostra os quatro elementos essenciais para a criação de um dataviz, divididos em duas categorias: informação e design.

Categoria informação:

1. Informações (dados): as informações de um dataviz precisam ser íntegras, coerentes e verdadeiras com uma boa acurácia. Isso quer dizer que a informação exibida precisa ter o máximo de confiabilidade e clareza.
2. História (conceito): como já comentei, as informações precisam contar histórias que sejam atrativas e que tenham a devida relevância explorada, criando o sentido de novo para quem vai consumir a informação. E, claro, precisa fazer sentido e ser uma história clara para qualquer pessoa conseguir interpretar.

Categoria design:

3. Objetivo (função): contribuindo para os elementos informações e história, é preciso ter claro o objetivo traçado na criação do dataviz. A usabilidade deve ser considerada para que a clareza da informação a ser exibida possa facilitar o uso do dataviz. Dessa maneira, a aplicação será facilitada, gerando maior eficiência no consumo das informações ali mostradas.
4. Forma (visual): por último, mas não menos importante que os outros, temos o visual do dataviz. Existem muitas maneiras de deixar uma visualização de dados bonita ou até mesmo feia. No entanto, é muito importante que o visual tenha beleza para aflorar a atratividade e o consumo das informações e que sua estrutura visual seja condizente e harmônica.

David McCandless criou o dataviz do framework a seguir, porém a Cappra Lab fez outra visualização que particularmente considero melhor, mais clean e mais simples de compreender.

Figura 5.4 Framework representando o que deve ter um dataviz

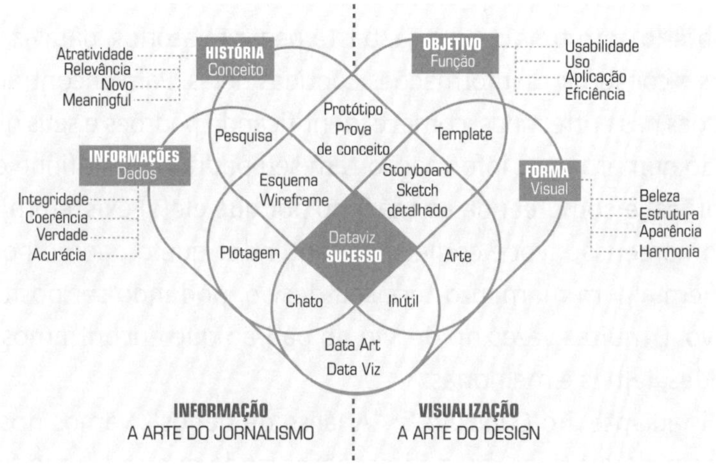

Fonte: Crédito da visualização a Cappra Data Science. Crédito do Framework a David McCandless.

Para finalizarmos a etapa de visualização de dados, vou apresentar as quatro regras de ouro para a criação de um data visualization.

1. Qual(ias) a(s) principal(ais) informação(ões) quero evidenciar?
2. Qual é a melhor forma para essa pessoa receber a informação?
3. Quanto tempo demoro para explicar a informação? (Se você demorar mais de quinze segundos, pode ser que venha a ter problemas.)
4. Que decisão posso tomar com essa informação?

A visualização de dados é algo que considero de suma importância para um projeto de marketing de dados, pois é a tangibilização de algo que muitos não conseguem enxergar em grande parte do processo.

6. ANÁLISE DOS DADOS

Para que haja uma boa análise é necessário um *mindset* analítico para encontrar nas entrelinhas dos dados informações que nos farão tomar decisões importantes.

A boa notícia é que pessoas que ainda não têm esse *mindset* podem obtê-lo com treino, ou seja, basta pegar relatórios, dataviz e infográficos e consumir as informações contidas neles. Para encontrar as informações nas entrelinhas, comece identificando padrões e seus desvios.

Todo número e/ou informação tem seu padrão. Identifique esse(s) padrão(ões) e compreenda ao máximo por que ele(s) existe(em). Após essa compreensão, você começará a entender que o padrão possivelmente em algum momento terá seu desvio, podendo ser positivo ou negativo. É muitas vezes no desvio do padrão que encontramos oportunidades, falhas e melhorias.

Mais adiante, no Capítulo 8: "Análise de dados", vamos nos aprofundar em alguns tipos de análises, observando que cada uma tem sua particularidade e importância.

A análise de dados não serve para mostrar simplesmente o que está acontecendo ou o que aconteceu. Um analista de dados precisa compreender a situação e, de preferência, sugerir alguns caminhos para a melhoria ou otimização do resultado.

Conheci muitos analistas que simplesmente apresentavam determinada análise, e a responsabilidade de entregar sugestões ficava com outro profissional. Alguns podem dizer que esse é o melhor cenário, mas, na minha visão, o analista não aproveita todo o seu potencial. Portanto, se você é ou pretende ser um analista de dados, é importante aprimorar ou se formar com o *mindset* de analisar e trazer boas sugestões de solução, mesmo que de forma holística e macro, não entregando apenas a análise em si. Seria com um "over-delivery" de sua função e profissão, enriquecendo sua entrega.

A etapa de análise de dados existe para que possamos não apenas interpretar o que os dados e as informações nos dizem, mas também entender o que pode ser feito após a interpretação.

7. TOMADA DE DECISÃO

A etapa de tomada de decisão funciona quase como um *check* de um *checklist*. Apesar de curioso, é muito comum que empresas e profissionais passem por todas as etapas, entendam o que está acontecendo, mas não tomem qualquer decisão com a informação em mãos.

A tomada de decisão traz dois elementos básicos para que haja sucesso e eficácia na etapa. O primeiro é a própria tomada de decisão, entendendo se existe a necessidade de fazer alguma coisa referente à situação que a informação da análise de dados trouxe. O segundo é a criação das ações para resolver ou melhorar o resultado.

Já tive experiências em que a decisão de mudar o rumo das ações foi tomada, mas nada foi feito. Isso aconteceu porque não foi criado um plano de ação (o segundo elemento). Portanto, sempre que tomar uma decisão, é muito importante ter um plano de ação estabelecido, o responsável por ele e o prazo para a conclusão das atividades.

Coloque isso em um documento e acompanhe o andamento e a evolução das ações propostas, pois, caso contrário, a chance de as ações não acontecerem ou não serem bem executadas aumenta.

RESUMO DO CAPÍTULO 5

- Fechando este quinto capítulo, aprendemos sobre o método API e a aplicar a ciência de dados por meio do processo de sete etapas. Claro que a aplicação em si da ciência requer o uso de modelos estatísticos e o cruzamento de informações, mas para isso acontecer precisamos primeiro organizar tudo e entender o que queremos e aonde queremos chegar.

- O método API contribui muito para conseguir entender e tangibilizar nossa situação e realidade para iniciar no marketing de dados.

6

Estratégia de dados

Nos dias de hoje, incerteza é algo comum em empresas quando o assunto é marketing. O componente digital nos trouxe diversas possibilidades, criando oportunidade e acessibilidade aos pequenos e médios negócios. Porém, com tanta abundância, veio a escassez da perenidade do sucesso e de boas tomadas de decisão. É necessário escolher a estratégia de marketing de forma lógica, ponderada e totalmente justificada e embasada em dados.

A experiência de trabalhar com diversas empresas, desde as micro às grandes, mostrou-me que independentemente do tamanho da empresa uma dor era muito comum entre elas: a de encontrar a melhor estratégia de marketing, ou ao menos escolher canais de aquisição.

Devido à diversidade de canais de aquisição, estratégias e recursos de marketing existentes, a tendência de escolher algo que muitos estão adotando aumenta, por falta muitas vezes de conhecimento ou experiência.

Pensando nisso, criei uma forma de diminuir, ou ao menos contribuir um pouco com a escolha da melhor estratégia, a incerteza, muitas vezes, a eliminando.

Para criar uma estratégia de marketing digital e de dados, utilizamos quatro pilares e alguns recursos que irão contribuir para a escolha de quais canais de aquisição e caminhos seguir no mundo de oportunidades que existem no marketing.

CRIANDO SUA ESTRATÉGIA

O primeiro passo para criar sua estratégia é entender onde você está e para onde quer ir. Não é possível criar uma estratégia sem saber para onde queremos ir.

Portanto responda a estas duas perguntas:

1. Aonde você quer chegar?
2. Onde você ou sua empresa estão atualmente em comparação à posição almejada? Está longe, perto?

É importante dizer que ainda não é para você definir seu objetivo, combinado? Chegaremos lá.

DEFININDO OS CANAIS DE AQUISIÇÃO

Para definir os canais de aquisição, gosto de utilizar o ciclo de vida do consumidor, uma representação da jornada que consumidores percorrem desde a descoberta de um produto ou serviço até a compra. Após a compra, existem outras duas etapas que mantêm o consumidor próximo de sua empresa.

Utilizo o ciclo de compra do consumidor para entender quais canais de aquisição ou atração utilizar em cada etapa.

Existem vários formatos do ciclo de compra do consumidor com etapas diferentes. Adoto aqui um formato com cinco etapas, que são:

1. Consciência;
2. Consideração;
3. Compra;
4. Retenção;
5. Advocacia.

Figura 6.1 Ciclo de compra do consumidor

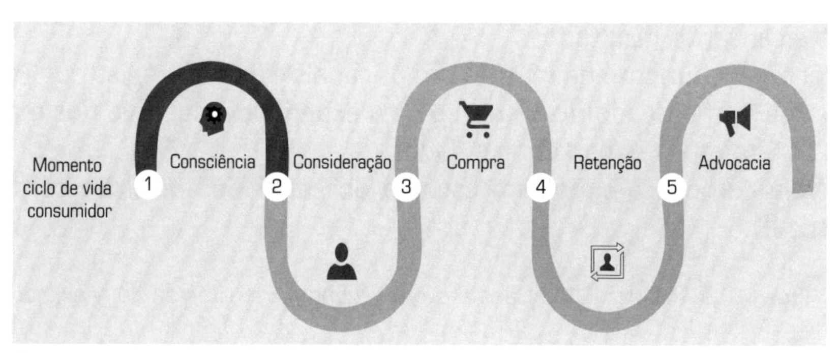

Fonte: O autor.

No marketing existem dois objetivos básicos que podemos destacar no ciclo de compra, como alcance e performance.

Trabalhamos alcance na etapa de consciência, onde está concentrada grande parte dos canais de mídia, estratégia e recursos de massa, como TV, relações públicas, impresso, rádio, entre outros.

A performance será trabalhada a partir da etapa de consideração. Podemos entender que cada etapa a partir dessa pode trabalhar elementos para otimizar e melhorar a performance de acordo com os objetivos definidos.

Podemos atingir esses objetivos a curto prazo, considerando seis meses, no mínimo, para alcançar resultados sustentáveis, ou a médio/longo prazo, ou seja, entre seis e dezoito meses.

Quando nos deparamos com o ciclo de compra do consumidor, há um momento em que precisamos definir e inserir os canais e as estratégias que serão utilizados em cada etapa. E nesse momento muitas empresas e profissionais travam por não saberem o que definir no mar de opções existentes e normalmente escolhem canais e estratégias que estão em voga e estão sendo mais falados no mercado. Muitas vezes, a escolha se torna equivocada ou errada, ocasionando resultados não satisfatórios.

Para ajudar na escolha do canal, do recurso ou da estratégia de aquisição, criamos a Matriz ID de Canais de Aquisição e Estratégias de Marketing. Nela, você pode definir o canal de acordo com o seu objetivo – alcance (visibilidade) ou performance – e o prazo que precisa para alcançar os resultados.

O preenchimento da matriz com os canais e as estratégias que vou mostrar está baseado no histórico e na experiência que tive nos mais de 250 projetos de marketing e dados.

Veja como fica simples a escolha do canal de aquisição com a Matriz ID.

Figura 6.2 Matriz ID de Canais de Aquisição e Estratégias de Marketing

	CURTO PRAZO	MÉDIO / LONGO PRAZO
VISIBILIDADE	Mídia cisplay Social Ads Rádio / TV / Impresso Promoções	SEO Inbound marketing Relações públicas Mídias sociais Blogs Eventos – on-line e presencial
PERFORMANCE	Search Ads Social Ads E-mail marketing Eventos on-line	SEO Referal marketing Inbound marketing Growth hacking E-mail marketing Marketing por dados Blogs Marketing de conteúdo CRO Engineering as Mkt Comunidade Native Ads
	Mínimo 6 meses	6 a 18 meses

Fonte: O autor.

A matriz funciona de forma muito simples. Se você precisa de visibilidade de marca ou de produto ou serviço em curto prazo, escolha os canais do quadrante 1. Se tem a opção e oportunidade de trabalhar performance a médio/longo prazo, escolha os canais ou estratégias do quadrante 4.

Você pode se perguntar: "Como vou escolher um canal ou uma estratégia em meio a tantas opções?". Simples.

Pense em qual opção fica mais fácil e com melhor custo-benefício para a execução de acordo com o time e os recursos que você tem. O que quero dizer é que não adianta querer trabalhar performance a curto prazo, escolher e-mail marketing e não ter uma base de e-mails própria. Seria uma escolha errada.

Analise cada canal ou estratégia do quadrante que esteja de acordo com sua realidade e escolha o mais condizente com ela.

OS QUATRO PILARES PARA GUIAR SUA ESTRATÉGIA

Agora, vamos entender o que precisamos fazer para alcançar o objetivo da empresa, ou seja, entender se as metas e o objetivo traçados são alcançáveis e o que precisamos fazer para executá-los.

Para conseguir chegar a essa resposta, utilizo quatro pilares: objetivo, metas, ações e KPIs. Coloque esses quatro pilares em uma planilha ou no formato que preferir, mas de forma parecida com o modelo a seguir.

Figura 6.3 Framework quatro pilares para guiar sua estratégia

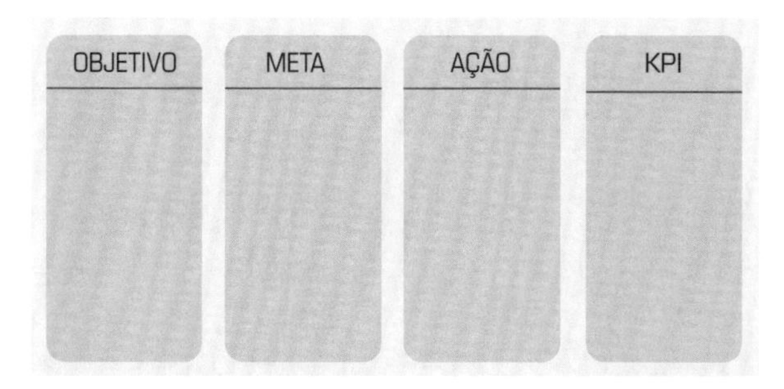

Fonte: O autor.

Vou detalhar cada pilar, mostrando como eles precisam ser definidos.

Defina um objetivo

A definição de um objetivo precisa ser clara, transparente e fazer com que todos entendam aonde queremos chegar.

A melhor forma para criar um objetivo compreensível é o quantificando. Não trabalhe com objetivos intangíveis como "aumentar as vendas", "otimizar o investimento o máximo possível" ou "melhorar os resultados".

Se eu disser a você que meu objetivo com este livro é vender muito, a palavra "muito" é subjetiva. Para você, muito pode ser 50 mil exemplares; e para mim, 3 mil exemplares seriam o suficiente.

Portanto, quantificar e estimar o tempo para seu objetivo é o primeiro passo para deixá-lo claro e compreensível para todos. Assim, modificando os três exemplos de objetivos citados anteriormente: "aumentar as vendas em 50%", "otimizar o investimento reduzindo 10% e melhorando o ROI em 5%" ou "melhorar a taxa de engajamento de nossas redes sociais de 1% para 2,5%".

Esses são objetivos que começam a nos mostrar aonde queremos chegar. Quantifique seu objetivo para começar a entender se será possível conquistá-lo ou não.

Para adicionar um exemplo em nosso modelo, vamos definir que queremos faturar 50 mil reais/mês. Dessa maneira, preenchemos nosso framework com esse objetivo.

Figura 6.4 Framework quatro pilares para guiar sua estratégia

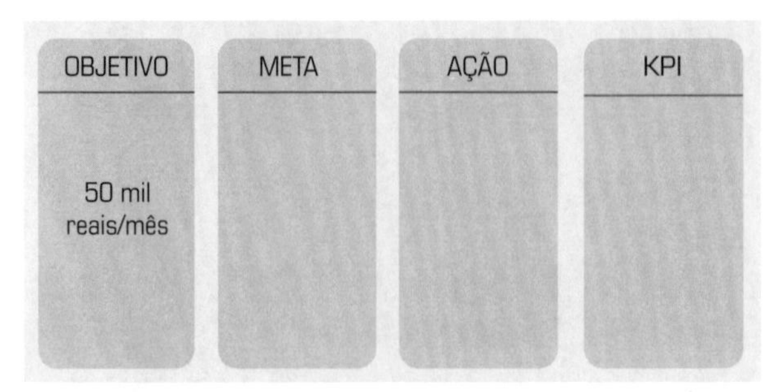

Fonte: O autor.

Determine o tempo para atingir o objetivo

Defina também o prazo para atingir seu objetivo, de acordo com a realidade atual de sua empresa, e determine algo que você imagina que seja alcançável de acordo com seu ponto de partida.

Aqui, um ponto importante. Se sua empresa tiver históricos relacionados ao seu objetivo, é importante usá-los como referência. Porém, caso não tenha e esteja começando um negócio agora ou lançando um novo produto ou serviço inédito, faça uma estimativa. Estimar não é um problema. Sua chance de errar é muito grande, porém a partir da estimativa começará a criar histórico.

Quando chegamos à etapa de quantificar o objetivo e determinar um prazo para que se concretize, será possível entender quão distante você está de sua realização.

Por exemplo, se meu objetivo está pautado em faturamento e hoje faturo 10 mil reais/mês a um ticket médio de mil reais, não seria saudável determinar faturar 100 mil reais/mês em três meses.

O problema nesse caso não está em almejar os 100 mil reais/mês como objetivo, mas sim no prazo. Seja realista.

Seguindo nosso exemplo, vamos definir que queremos chegar a 50 mil reais/mês em seis meses.

Figura 6.5 Framework quatro pilares para guiar sua estratégia

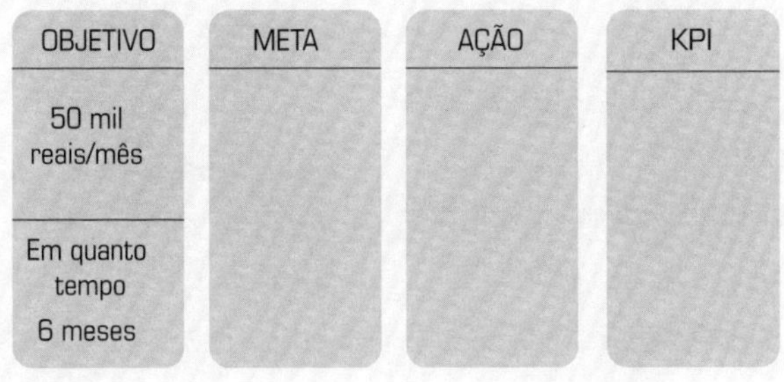

OBJETIVO	META	AÇÃO	KPI
50 mil reais/mês			
Em quanto tempo 6 meses			

Fonte: O autor.

Defina metas

Qual é a realidade atual para alcançar suas metas? Minha pergunta se refere às suas metas atuais em relação ao objetivo traçado.

Um dos pontos mais frustrantes no marketing ou em uma empresa é não bater metas nem alcançar objetivos. Não existe nada mais chato e desconfortável do que olhar para os resultados e ver que não alcançamos o que foi planejado.

E muitas vezes isso acontece por erro de planejamento e por superestimar a quantificação do objetivo e/ou das metas. Portanto, cuidado. Vá com calma. Defina um objetivo alcançável e, caso não saiba o que seria alcançável, trabalhe com um objetivo pequeno, para sentir a reação e medir os esforços necessários.

Para definir suas metas, vamos ter como referência máxima nosso objetivo. Se queremos faturar 50 mil reais/mês em seis meses, devemos obter 8.333 reais por mês.

Nesse ponto, você pode escolher como irá fazer a distribuição das metas mês a mês. As metas poderão ser divididas por igual, simplesmente dividindo 50 mil reais por seis (como fizemos anteriormente), ou poderão ser distribuídas gradativamente mês a mês, evoluindo a cada mês até chegar ao sexto mês, somando os 50 mil reais.

Para nosso exemplo, distribuirei por igual, entendendo que precisamos faturar 8.333 reais por mês. Seguimos preenchendo nosso framework:

Figura 6.6 Framework quatro pilares para guiar sua estratégia

OBJETIVO	META	AÇÃO	KPI
50 mil reais/mês	VENDAS		
	MÊS 1 - 8.333 reais MÊS 2 - 8.333 reais MÊS 3 - 8.333 reais MÊS 4 - 8.333 reais MÊS 5 - 8.333 reais MÊS 6 - 8.333 reais		
Em quanto tempo 6 meses			

Fonte: O autor.

Defina as ações

Nessa parte do framework, precisamos decidir o que será preciso fazer para alcançar as metas estabelecidas. Para isso, o ideal é voltar à Matriz ID (Figura 6.2, p. 130) para saber quais opções temos para atingir os resultados em seis meses.

Nesse caso, como precisamos de resultados a curto prazo, eu escolheria Search Ads, Social Ads e e-mail marketing caso exista uma base de e-mails engajada.

Se você tiver outras opções, pode considerá-las, pois a Matriz ID é apenas uma referência para ajudá-lo a enxergar as opções disponíveis.

Então nosso framework está ficando assim:

Figura 6.7 Framework quatro pilares para guiar sua estratégia

OBJETIVO	META	AÇÃO	KPI
50 mil reais/mês	VENDAS	SEARCH ADS SOCIAL ADS E-MAIL MKT	
Em quanto tempo 6 meses	MÊS 1 - 8.333 reais MÊS 2 - 8.333 reais MÊS 3 - 8.333 reais MÊS 4 - 8.333 reais MÊS 5 - 8.333 reais MÊS 6 - 8.333 reais		

Fonte: O autor.

Defina os KPI (indicadores de performance)

KPI é a abreviação de *key performance indicator*. Nessa etapa nós adicionamos os indicadores que mostrarão o sucesso ou fracasso das ações determinadas. Portanto, alguns KPIs que podem nos direcionar são ROI, taxa de conversão, leads, oportunidades e vendas geradas.

Figura 6.8 Framework quatro pilares para guiar sua estratégia

OBJETIVO	META	AÇÃO	KPI
50 mil reais/mês	VENDAS	SEARCH ADS	ROI
	MÊS 1 - 8.333 reais	SOCIAL ADS	TX DE CONVERSÃO
	MÊS 2 - 8.333 reais	E-MAIL MKT	LEADS
Em quanto tempo	MÊS 3 - 8.333 reais		OPORTUNIDADES
	MÊS 4 - 8.333 reais		VENDAS
	MÊS 5 - 8.333 reais		
6 meses	MÊS 6 - 8.333 reais		

Fonte: O autor.

Com nosso framework preenchido, temos algo extremamente importante para fazer: validar nosso objetivo e nossas metas.

ENTENDENDO SE O OBJETIVO E AS METAS SÃO ALCANÇÁVEIS

Para validar o quão factível são nosso objetivo e as metas, usamos o funil de vendas de forma invertida.

Vamos imaginar um funil de marketing simples, com quatro etapas: visitantes, leads, oportunidades e vendas. Sendo assim, nosso funil ficaria assim:

Figura 6.9 Funil de marketing e vendas

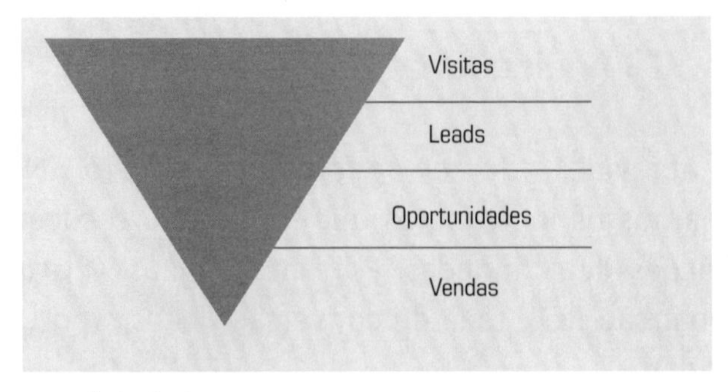

Fonte: O autor.

Simples assim. A lógica e o mecanismo do funil invertido é começar a preenchê-lo de baixo para cima e, em nosso caso, a partir de vendas.

Seguindo nosso exemplo do framework, nosso objetivo foi definido como atingir uma receita de 50 mil reais/mês em seis meses.

Podemos validar de duas maneiras. Uma delas é criar o funil do objetivo total e a outra é fazer com as metas.

Particularmente, prefiro fazer com as metas, pois assim chegaremos ao real esforço e ao desafio que teremos mês a mês. Sendo assim, o farei desta forma. Como definimos que a distribuição da meta mês a mês seria por igual, temos 8.300 reais (sei que o valor é 8.333 reais mas vou arredondar apenas para nosso exemplo).

Portanto, vamos começar a trabalhar com o funil invertido.

A primeira coisa que precisamos fazer para trabalhar com o funil invertido é levantar o ticket médio de seu produto ou serviço, pois ele irá nos ajudar a definir o número de vendas. Então, vamos imaginar que em nosso exemplo o ticket médio seja de 830 reais.

Como temos um número em receitas, para saber quantas vendas é preciso fazer, pegaremos o faturamento planejado e o dividiremos pelo ticket médio.

$$8.300 \div 830 = 10$$

Agora temos o número de vendas (esforço) que precisamos fazer a cada mês para atingir um faturamento de 8.300 reais por mês.

Então, vamos preenchendo nosso funil invertido.

Figura 6.10 Funil de marketing e vendas

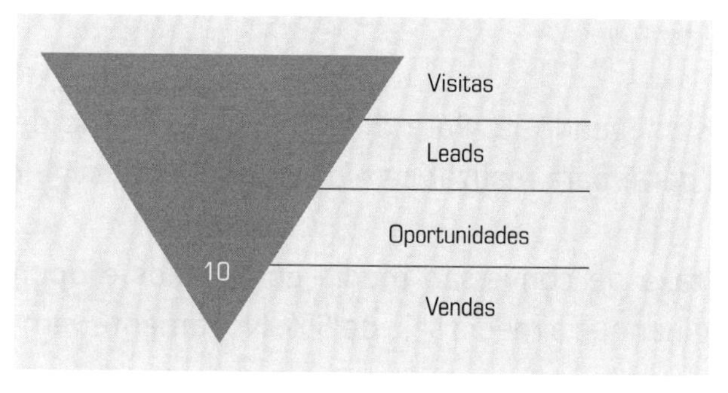

Fonte: O autor.

Agora que sabemos que precisamos realizar dez vendas por mês, devemos encontrar o número de oportunidades que precisam ser geradas para conseguirmos realizar dez vendas de 830 reais.

Para isso, basta levantar a taxa de conversão média entre as etapas de oportunidades e vendas. Mais uma vez, a base histórica que sua empresa tem será importante para contribuir no levantamento dessa informação. Caso não tenha o histórico, novamente, faça uma estimativa sobre o que imagina ou, melhor ainda, pegue a média de seu mercado como referência.

Por agora, vamos pensar que temos uma média de 10% de taxa de conversão entre oportunidades e vendas. Com esse número, pergunto: quantas oportunidades precisamos para gerar dez vendas?

Portanto, se dez é 10% de um montante total, quanto é o montante total? A resposta é cem. Então, preenchemos nosso funil invertido.

Figura 6.11 Funil de marketing e vendas

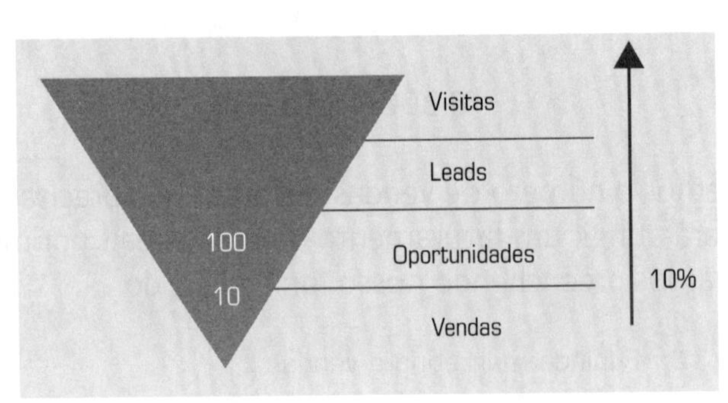

Fonte: O autor.

Estamos chegando lá. Para determinar o volume de leads que precisamos gerar para realizar cem oportunidades, seguimos a mesma lógica.

Qual a taxa de conversão média entre leads e oportunidades? Vamos imaginar que a média seja de 5%. Novamente vem a pergunta:

Se cem é 5% de um montante total, quanto é o montante total? A resposta nesse caso é 2 mil.

Precisamos de 2 mil leads para gerar cem oportunidades.

Figura 6.12 Funil de marketing e vendas

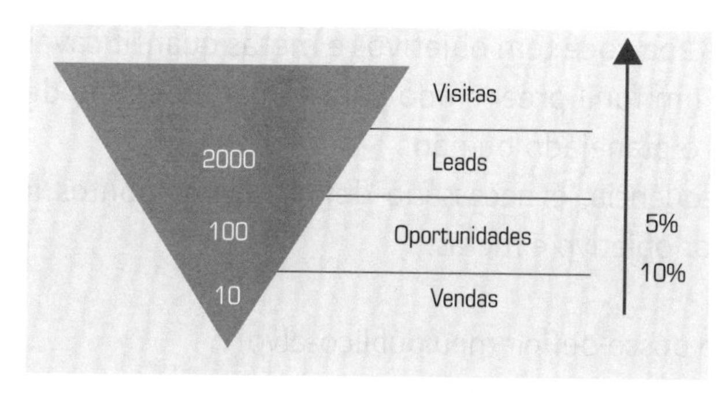

Fonte: O autor.

E, por último, vamos calcular quantas visitas precisamos realizar para gerar 2 mil leads. Vamos considerar que a taxa de conversão média entre visitantes e leads seja também de 5%.

Dessa maneira, se 2 mil é 5% de um montante total, quanto é o montante total? A resposta nesse caso é 10 mil.

Figura 6.13 Funil de marketing e vendas

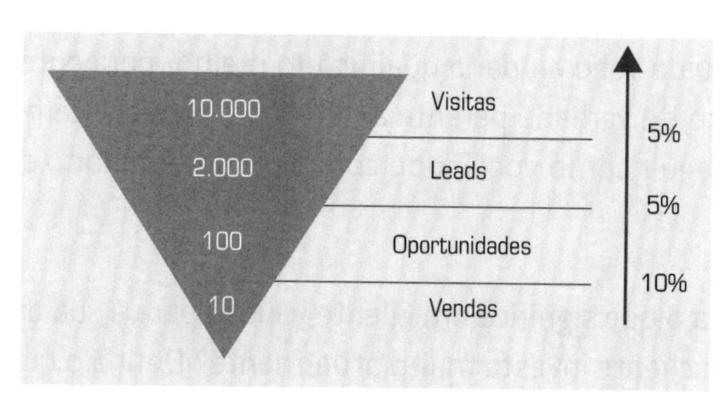

Fonte: O autor.

Portanto, para alcançar 8.300 reais em receita ou dez vendas no mês, precisamos de 10 mil visitas para gerar dez vendas com ticket médio de 830 reais.

Agora temos nossa estratégia, além de planejada, também validada. Você verá esse funil preenchido e se perguntará: "Essa meta é atingível?".

Nessa etapa você tem objetivos e metas quantificáveis e mensuráveis com um funil preenchido para tomar a decisão de seguir em frente com o planejado ou não.

E, na sequência, é necessário definir alguns pontos importantes para alcançar objetivo e metas:

- Como posso definir meu público-alvo?
- Como me comunicar com meu público?

DEFININDO MEU PÚBLICO-ALVO

Mais uma vez, para deixar claro, vou estabelecer alguns critérios e mostrar como definir o público-alvo de forma mais tangível e menos abstrata como "nosso público-alvo são pequenas e médias empresas". É importante ressaltar que a definição menos abstrata não invalida qualquer tese ou público já determinado anteriormente.

Mantenha a definição de público-alvo como está. O que vou mostrar em seguida vai o ajudar a qualificá-lo melhor para entender quem é seu público de verdade perante à definição que você tem.

Veja a seguir como você pode compreender melhor o seu público-alvo.

1. Defina o que significa um cliente valioso para a sua empresa.
   a. Seu cliente investe muito atualmente? Defina o que é "muito" para você.

b. Seu cliente ideal pretende aumentar investimentos em produtos e serviços como o seu atualmente?
c. Seu cliente ideal é capaz de convencer outras empresas a comprarem de você? (É um bom endosso?)
d. Não custa caro para ser atendido e, portanto, é altamente lucrativo (rentável)?

Veja um exemplo de respostas para as perguntas anteriores.

1. Traduza essa definição de valor em algo mensurável e rastreável.
   a. Média de 10 mil reais/mês (Defina o seu muito.)
   b. Sim. Pretende aumentar em 50% o investimento atual nos próximos meses.
   c. Sim.
   d. Gera rentabilidade de 30%.

Veja como o seu público-alvo fica definido de forma mais tangível após a aplicação desse exercício:

Um bom alvo para a empresa é: uma empresa que investe em média 10 mil reais por mês, que pretende aumentar o investimento em 50% (ou comprar) nos próximos meses, que seja um bom endosso para sua marca e tenha rentabilidade média de 30% – ou tenha um custo de aquisição de clientes (CAC) e um *life time value*, isto é, tempo de vida útil do cliente (LTV) positivos.

Pronto. Agora pegue a definição de seu público-alvo e veja se condiz com a tangibilização por meio dessas perguntas. Arrisco dizer que será libertador, pois poderá trazer muitas perguntas que antes não haviam sido feitas e boas respostas.

COMO ME COMUNICAR COM MEU PÚBLICO-ALVO

O tipo de comunicação é algo que envolve inclusive marketing de conteúdo, mas não vamos nos aprofundar nesse tema agora. Quero trazer novamente algumas perguntas que irão nos direcionar e levantar questões para compreender a cabeça do público para passar essas informações ao time de marketing de conteúdo de sua empresa.

1. Pergunte aos seus clientes por que eles compram de você.
2. Levante as necessidades mais importantes de seus clientes.
3. Desenvolva produtos, comunicação e argumentos em cima do que os clientes disserem.
4. Por que seu cliente quase não comprou de você? (Agradeço a contribuição de Rafael Damasceno neste item.)

Com as respostas em mãos, você terá insumo para entender como pode se comunicar com seu público entendendo objeções e possíveis dores que você não havia imaginado.

Mais uma vez, não se limite a esses tópicos. Sinta-se à vontade para incrementar os questionamentos direcionados para seu negócio. O cuidado que você precisa ter é de não fazer muitas perguntas de uma única vez. Se você criar muitas perguntas, faça algumas sessões para ter as respostas. Caso contrário, as pessoas podem se sentir resistentes a responder.

RESUMO DO CAPÍTULO 6

- Agora você sabe como criar uma estratégia baseada em dados e o quanto isso pode trazer maior assertividade em tomadas de decisão das ações de marketing e principalmente mais segurança em propor as ações.

- Um dos maiores desafios em marketing é escolher o canal de aquisição e como entender se objetivos e metas traçados são atingíveis ou o quanto são desafiadores. Utilizando e compreendendo o ciclo de compra do consumidor, a Matriz ID, os quatro pilares e o funil invertido, conseguimos ao máximo tangibilizar o quão factível fica o que planejamos e quais recursos serão necessários para alcançar objetivos e metas.

- Para finalizar, conseguimos concretizar quem de fato é o seu público-alvo e como deve se comunicar com ele.

7

Tática de dados

Ser assertivo em ações de marketing nos dias de hoje não está relacionado apenas à melhor estratégia. Os recursos disponíveis são inúmeros. Tendenciosamente fazemos o que outras empresas têm feito.

Mas será que é a melhor opção para sua empresa a estratégia de seguir o que os outros estão fazendo?

Como empresas, temos a mania de dizer que somos diferentes, mas utilizamos os mesmos canais de aquisição e KPIs que os outros. Nesse ponto começa o equívoco.

Podemos utilizar as mesmas táticas, canais e recursos que outras empresas, mas que sejam condizentes e estejam de acordo com nossas estratégias, público e principalmente nossos objetivos e metas.

VOLUME x QUALIFICAÇÃO

Já trabalhei com muitas empresas e profissionais que focam gerar volume para encher a boca do funil. Esse tipo de ação pode ser interessante em determinado momento e objetivo de marketing, mas precisa ser utilizado com cautela e assertividade, pois pode acabar virando um vício e senso comum na empresa.

Na maioria dos projetos em que trabalhei para gerar volume, já era senso comum encher a boca do funil para "garantir" o resultado no final. Não vejo esse caminho como o melhor.

Quando o volume vira algo "necessário" para bater metas, a consequência é um aumento de investimento, ROI, CPA e CAC, ou seja, perda de rentabilidade.

Eu sou o tipo de profissional e gestor que acredita muito na qualificação do que é gerado e no melhor aproveitamento de leads e oportunidades existentes em "casa". É preciso colocar como critério gerar mais volume se necessário.

Pense no quanto podemos economizar e rentabilizar com a nossa própria base. Claro que em casos de um novo projeto é necessário gerar volume. Mas siga o critério que coloquei anteriormente: "Se necessário".

Após a escolha do canal ou da estratégia de aquisição em estratégia de dados, surge a dúvida sobre qual recurso utilizar da aquisição escolhida. Por exemplo, se escolhermos Facebook Ads, qual recurso é melhor utilizar dentre tantos disponíveis? Em e-mail marketing, o que preciso fazer para qualificar o trabalho desse canal de aquisição?

Pensando em seguir o mesmo método e raciocínio de facilitar a escolha de canais e estratégias de aquisição, entendo que na tática temos os recursos diversos de cada canal e estratégia.

Selecionei quatro formatos em que esses recursos podem ser explorados para a aquisição em marketing: performance, volume, visibilidade e qualificação.

A performance está diretamente ligada à otimização do canal e concentra os esforços em melhorar os resultados ao máximo com os recursos do canal ou da estratégia de aquisição.

Em qualificação temos recursos que trazem maior qualidade e focam esse objetivo. O foco aqui não é gerar alto volume, apesar de não ser impossível que isso aconteça.

Tanto performance quanto qualificação são geradas a longo prazo. É preciso tempo tanto para os algoritmos quanto para o aprendizado sobre qual o formato para obter melhor performance e qualificação.

Os recursos alocados em volume são direcionados para obter um número maior de leads, oportunidades, visitas, seja qual for o objetivo do trabalho.

A visibilidade tem como único objetivo trabalhar presença de marca. Portanto, aqui colocamos recursos que cumprem o objetivo de trazer maior alcance e visibilidade para marcas, empresas, produtos e serviços.

Daqui em diante, você terá acesso aos frameworks que criei e mostram em uma representação gráfica a divisão dos quatro formatos a serem explorados, adicionando os recursos de cada canal ou estratégia, que chamo de Teia ID.

São oito teias que mostram os recursos que devem ser utilizados quando você precisa de performance, volume, visibilidade ou qualificação, com a ressalva de que a escolha a ser feita será a curto ou longo prazo.

As teias são de marketing digital, Facebook Ads, Google Ads, e-mail, marketing de conteúdo, eventos, off-line ads e inbound marketing.

Vamos observar a Teia ID do marketing digital que mostra de forma geral quais canais e estratégias devem ser utilizados de acordo com cada formato de exploração.

Figura 7.1 Teia ID recursos marketing digital

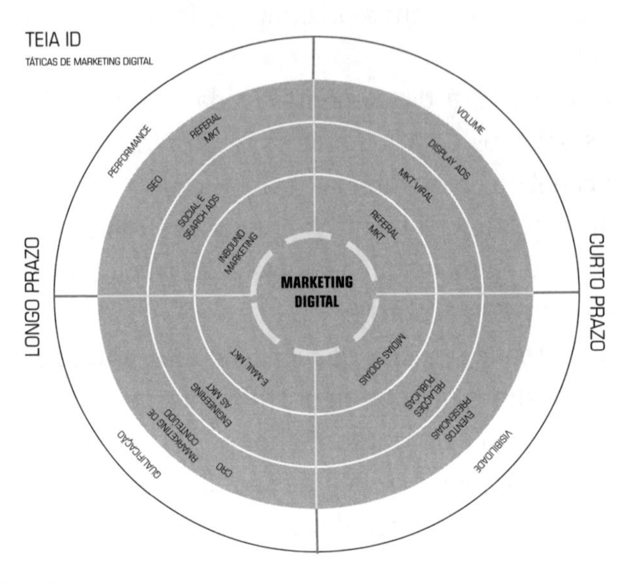

Fonte: O autor.

É importante deixar claro que os níveis da teia não dizem qual recurso é melhor ou eficiente que outro. Qualquer dos recursos deve e pode ser utilizado de acordo com cada formato de exploração.

Exemplificando melhor, não é porque SEO e referral marketing estão na ponta de performance que sejam os melhores para performance. Você precisa definir o que é melhor para o seu negócio de acordo com o objetivo estabelecido.

Outra observação é que determinado recurso pode se repetir em formatos diferentes. O que vai ser diferente é sua aplicação e execução. Nesse caso, a criatividade é que manda.

Vamos agora à Teia ID de Facebook Ads.

Figura 7.2 Teia ID recursos Facebook Ads

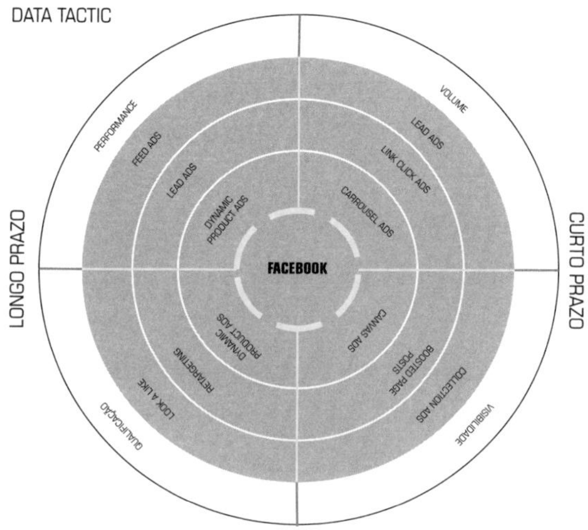

DATA TACTIC
PERFORMANCE
FEED ADS
LEAD ADS
DYNAMIC PRODUCT ADS
VOLUME
LEAD ADS
LINK CLICK ADS
CARROUSEL ADS
LONGO PRAZO
FACEBOOK
CURTO PRAZO
DYNAMIC PRODUCT ADS
RETARGETING
LOOK A LIKE
QUALIFICAÇÃO
CANVAS ADS
BOOSTED PAGE POSTS
COLLECTION ADS
VISIBILIDADE

Fonte: O autor.

Agora, apresento as demais teias.

Figura 7.3 Teia ID recursos Google Ads

DATA TACTIC
PERFORMANCE
REDE PESQUISA
GOOGLE SHOPPING
EXTENSÕES DE ANÚNCIO
VOLUME
REDE DISPLAY
YOUTUBE
PESQUISA + DISPLAY
LONGO PRAZO
GOOGLE
CURTO PRAZO
GMAIL ADS
CUSTOM AUDIENCE
REMARKETING
QUALIFICAÇÃO
YOUTUBE
REDE DISPLAY
VISIBILIDADE

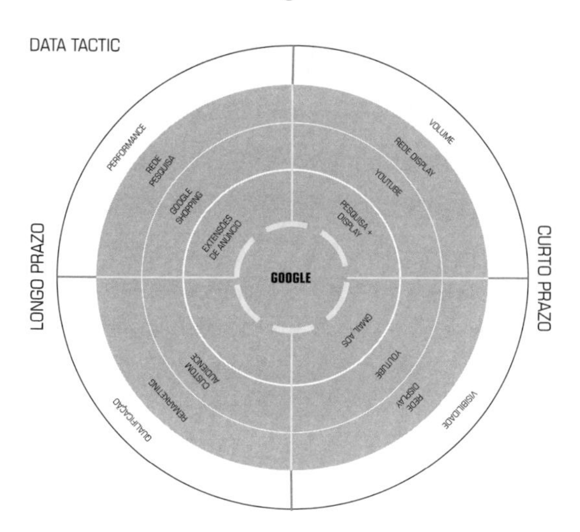

Fonte: O autor.

Figura 7.4 Teia ID recursos e-mail

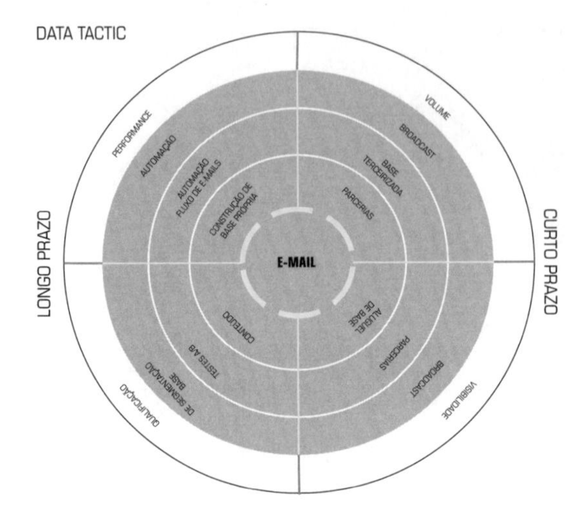

Fonte: O autor.

Figura 7.5 Teia ID marketing de conteúdo

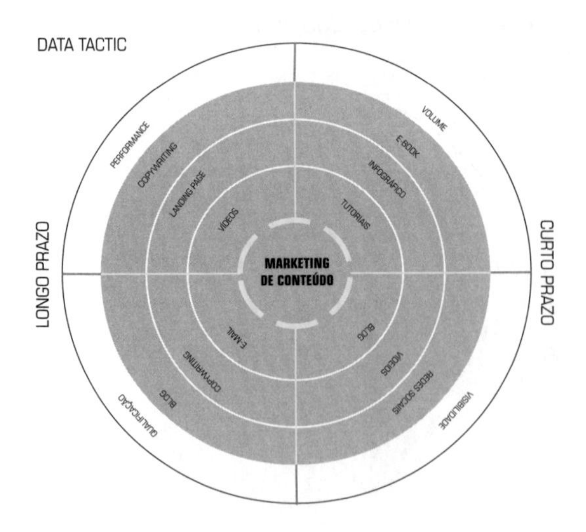

Fonte: O autor.

Figura 7.6 Teia ID eventos

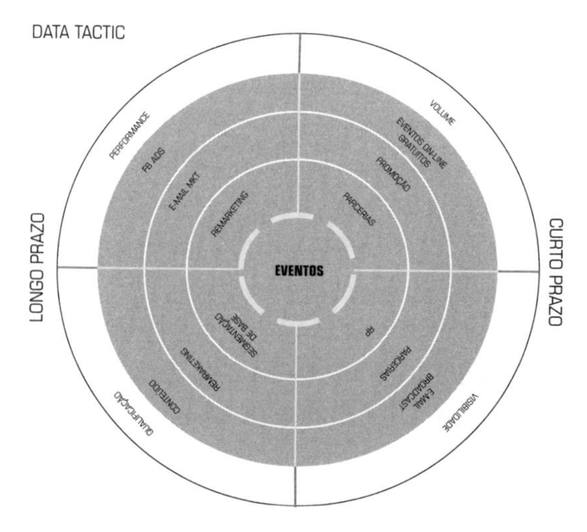

Fonte: O autor.

Figura 7.7 Teia ID off-line ads

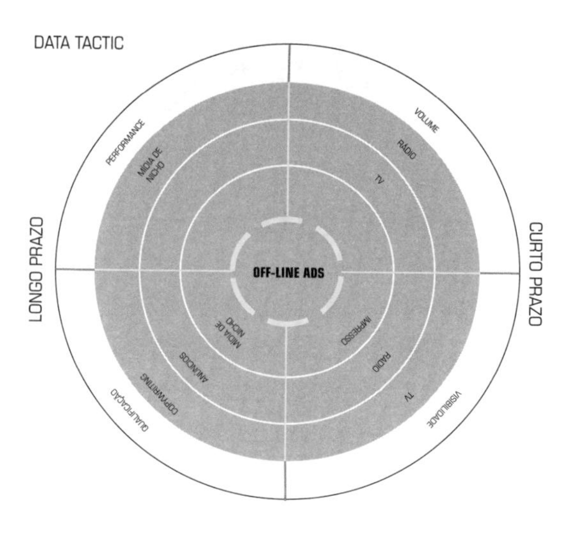

Fonte: O autor.

Um detalhe sobre essa última Teia ID. Você pode se questionar: "Por que é interessante ter uma Teia ID de off-line ads?".

Precisamos superar a crença de que mídias tradicionais ou mídias do mundo físico não dão resultado ou estão ultrapassadas. Está ocorrendo cada vez mais um movimento em direção ao mundo físico pela busca de experiências. Portanto, vamos dar a devida atenção a esse tipo de mídia. Apenas como informação, em 2019, 95% do faturamento do varejo brasileiro ainda é produzido em lojas físicas. As oportunidades são gigantes no mundo físico. E o melhor: são totalmente mensuráveis. Não existe mais a opção de não conseguir mensurar ações físicas (há muitos meios, mas não os detalharei por não serem o centro de nossa discussão neste livro).

Por último, mas não menos importante, apresento a Teia ID inbound marketing.

Figura 7.8 Teia ID inboud marketing

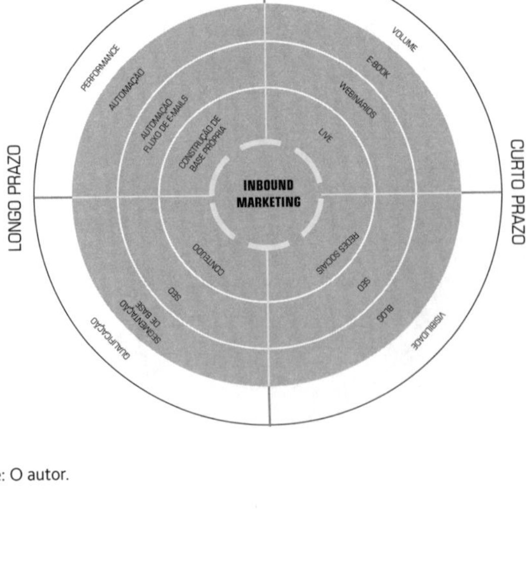

Fonte: O autor.

Como tenho a grande intenção de facilitar, racionalizar e trazer lógica para a escolha das estratégias e táticas em marketing, quero lhe apresentar mais duas matrizes ID. Em uma delas, vamos pautar os eixos em curto, médio/longo prazo e outros eixos em sem budget ou com budget. Na outra matriz, abordaremos volume × qualificação e reforço de marca × rentabilidade.

A ideia com essas duas matrizes é você analisar a situação de sua empresa atual e entender o que pode fazer caso não tenha budget alocado ou até mesmo tenha budget "sobrando". Apesar de não ser a realidade de muitos, existem casos assim. Invista da melhor maneira.

Vamos à primeira Matriz ID para ajudá-lo a definir ações baseadas em pouco budget e com budget.

Figura 7.9 Matriz ID período × budget

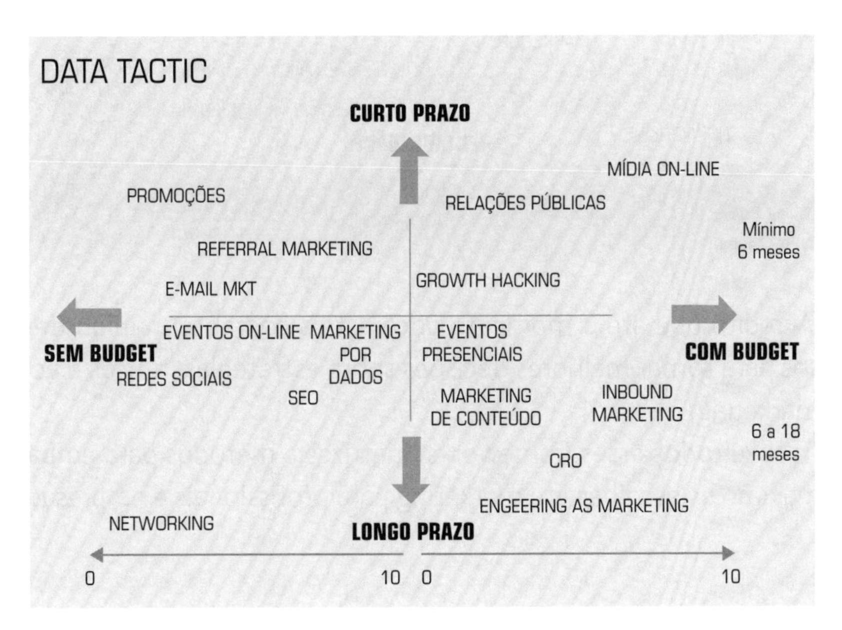

Fonte: O autor.

E a outra Matriz ID traz um cruzamento entre volume e qualificação quando se quer reforço de marca e rentabilidade. Veja a seguir:

Figura 7.10 Matriz ID Volume × qualificação e reforço de marca × rentabilidade

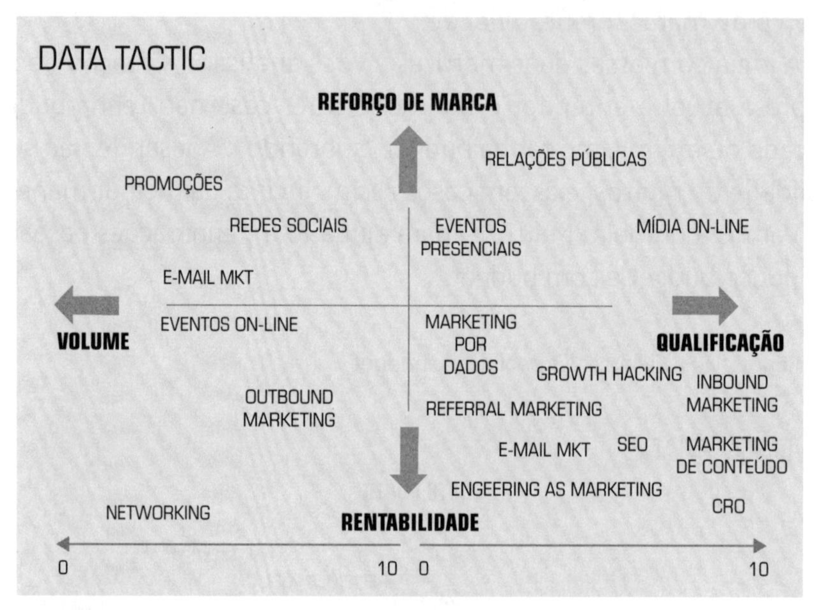

Fonte: O autor.

Acredito que até o momento você esteja bastante munido de recursos para tomar melhores decisões sobre estratégias, táticas e ações de marketing.

Trouxe todos esses frameworks, matrizes e métodos para embasar ao máximo as escolhas em marketing para profissionais e empresas.

RESUMO DO CAPÍTULO 7

- Abordamos a importância de entender qual o formato de atuação em cada canal e a estratégia de aquisição.
- A utilização das matrizes e teias ID irão contribuir para embasar e acertar suas escolhas em marketing.
- A compreensão e o conhecimento dos quatro objetivos (performance, volume, visibilidade e qualificação) deixam claro que devemos separar nossas ações por objetivos e metas, compreendendo se as executaremos a curto ou longo prazo, com a mentalidade de construção quando for longo prazo.
- Aproveite o poder do que apresentei até o momento e revise suas estratégias ou crie novas com as matrizes e teias ID. Esse é o caminho.
- Para treinar, valide com as matrizes e teias o que já foi feito por você e sua empresa colocando lado a lado o que deu certo e errado.

8

Análise de dados

Para muitos, a análise de dados é um mistério que ainda não foi desvendado. Além disso, existe uma crença de que ela não seja para qualquer pessoa. Mas, sendo uma crença, precisa ser quebrada.

Qualquer pessoa interessada pode realizar análises incríveis e encontrar oportunidades que antes não eram claras.

Porém, como em qualquer atividade, é preciso prática e experiência. É preciso errar, acertar e vivenciar a análise, passando por dificuldades e desafios que nos farão evoluir.

Muito de uma análise de dados está pautado em padrões e anomalias. Se analisarmos a fundo, as pessoas são previsíveis. Para gerar dados é necessária uma interação de qualquer tipo em qualquer ambiente. E as interações vêm de pessoas.

A previsibilidade se traduz em padrões de comportamento de pessoas que são transformados em dados. Dessa maneira, a análise de dados trata de entender o que os padrões de fato estão nos dizendo.

Darrell Huff, em seu livro *Como mentir com estatística*, tem uma frase emblemática que ilustra bem o que acabei de dizer. Ele escreveu que "se torturarmos os dados o suficiente, eles irão confessar qualquer coisa".

Encontrar padrões e anomalias é a simples tradução do idioma dos dados. A análise se torna um meio e, para isso, temos alguns tipos de análises e evoluções que vou trazer para esclarecer como podemos trabalhá-las melhor em nosso dia a dia.

TIPOS DE ANÁLISE

Existem algumas análises que são comumente utilizadas ou desejadas e que possivelmente você já tenha aplicado sem saber.

Vamos tratar brevemente sobre quatro tipos: descritiva, diagnóstica, preditiva e prescritiva.

Análise descritiva: tem como objetivo mostrar em um relatório ou em uma conclusão o que aconteceu em determinado cenário. Imagine que seus resultados não estejam bons. Para entender o cenário, é preciso investigar.

A análise descritiva vai relatar de fato o que aconteceu, mostrando o tamanho da queda no exemplo citado.

Análise diagnóstica: normalmente, é realizada após a descritiva. Ela traz o porquê de algo ter acontecido. Portanto, seguindo o mesmo exemplo anterior, após entender o que aconteceu por meio da análise descritiva (queda), a diagnóstica nos traz o que a acarretou.

No Capítulo 3, mostramos um exemplo de uma análise dos resultados de um e-commerce e estratificamos o que havia acontecido. Ali, fizemos uma pequena análise descritiva e diagnóstica. Primeiro identificamos que houve uma queda geral de vendas no site, depois vimos que o responsável pela queda havia sido o Google Ads.

Análise preditiva: esse tipo de análise é o desejo (para não dizer sonho) de qualquer empresa. Imagine que seja possível prever algo.

A análise preditiva traz algumas predições baseadas em históricos e padrões e mostra a probabilidade que um evento tem de acontecer.

É comum confundir a análise preditiva com previsão do futuro. Na verdade, não é bem assim. A análise preditiva traz uma visão de "o que pode vir a acontecer" baseada em probabilidade. Predição pretende "dizer" o que pode acontecer de forma antecipada. Previsão propõe "ver" o que pode acontecer.

Análise prescritiva: é uma análise de recomendação e é a utilização de ferramentas estatísticas (tanto de análise descritiva quanto preditiva) alinhadas à gestão de negócios, para gerar recomendações de ações a serem tomadas de forma automática ou semiautomática, com o fim de otimizar as estratégias adotadas pelas empresas e alcançar melhores resultados no menor espaço de tempo.

Enquanto a análise preditiva se limita a dizer como provavelmente será o futuro, a análise prescritiva fornece subsídios para tomar decisões que irão alterar o futuro. Em outras palavras, a análise prescritiva nos diz "como vamos fazer algo acontecer". Um vídeo que pode demonstrar uma análise prescritiva é o de um comercial da SAP, um software poderoso para gestão de empresas e outros infinitos recursos para gestão de negócios. Vou deixar aqui o link para você acessar e conferir: <http://bit.ly/2kgjBAn>.

Apresentados os quatro tipos de análises, é importante destacar que uma análise é sequencial a outra. O que quero dizer é que você não conseguirá chegar a uma análise prescritiva sem passar pela análise diagnóstica ou descritiva. Só assim você alcançará o topo que mostro na Figura 8.1.

Podemos dizer que cada um dos quatro tipos de análise possui um nível de dificuldade e, ao mesmo tempo, quanto maior o nível de dificuldade, maior será o valor gerado para as empresas. Não que a complexidade esteja diretamente ligada ao valor, mas, nesse caso, gerar valor se torna mais complexo.

A Gartner criou uma representação gráfica que ilustra perfeitamente o que acabei de dizer. Veja no gráfico a seguir:

Figura 8.1 Modelo de maturidade da análise de dados

Fonte: Crédito da imagem a Buscar ID. Crédito do conteúdo a Gartner's Data Analytics Maturity Model.

Outro significado que a Gartner traz é o de um olhar muito interessante sobre os quatro tipos de análise. Veja:

Figura 8.2 Os quatro tipos de capacidades analíticas

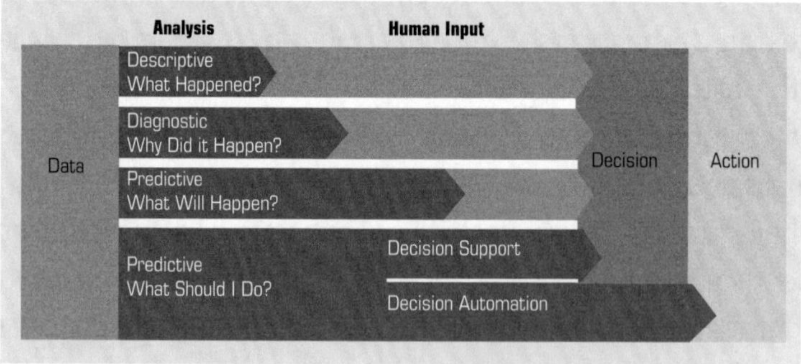

Fonte: Gartner.

O que a representação anterior mostra é que, quanto mais avançado estiver na análise, mais próximo de tomar uma decisão e gerar uma ação você ou uma empresa estará.

Como sabemos, o trabalho de marketing de dados tem como papel permitir melhores tomadas de decisão. Não quer dizer que se não chegarmos à análise prescritiva não será possível tomar decisões, mas sim que o ideal – e como forma evolutiva – seja seguir a sequência de eventos e análises, que levam a melhores tomadas de decisão, inclusive as automatizadas ou semiautomatizadas, como já citamos.

Taras Kaduk, um analista de dados sênior da Flórida (Estados Unidos), criou uma matriz dos quatro tipos de análise e as divide em quatro conexões ou relações para responder a perguntas e, consequentemente, tomar decisões.

São elas: inteligência, retrospectiva (passado), previsão (futuro) e dados. Em suma, a matriz mostra como as análises podem responder a perguntas e se devemos olhar ou gerar as respostas voltados para o passado ou futuro.

Segundo Kaduk,[1] "as perguntas 'o que' (análise descritiva e preditiva) podem simplesmente ser respondidas pelo conteúdo dos dados: dados históricos existentes (análise descritiva) ou dados históricos extrapolados para o futuro usando técnicas de aprendizado de máquina e previsão (análise preditiva).

"As perguntas 'por que' e 'como' (análise diagnóstica e prescritiva), por outro lado, são as perguntas que podem ser respondidas com os dados existentes e uma pitada de inteligência de negócios, seja manual (uma pessoa que repassa os números e descobre as coisas) ou se assemelha a um algoritmo analisando os números e produzindo veredictos com base nos modelos executados. Em outras palavras, as análises diagnóstica e prescritiva se baseiam nas análises descritiva e preditiva, respectivamente."

Veja como ficou a representação gráfica criada por Taras Kaduk:

[1] Disponível em: <https://www.linkedin.com/pulse/4-stages-data-analytics-maturity-challenging-gartners-taras-kaduk>. Acesso em: 16 set. 2019.

Figura 8.3 Matriz quatro tipos de análises

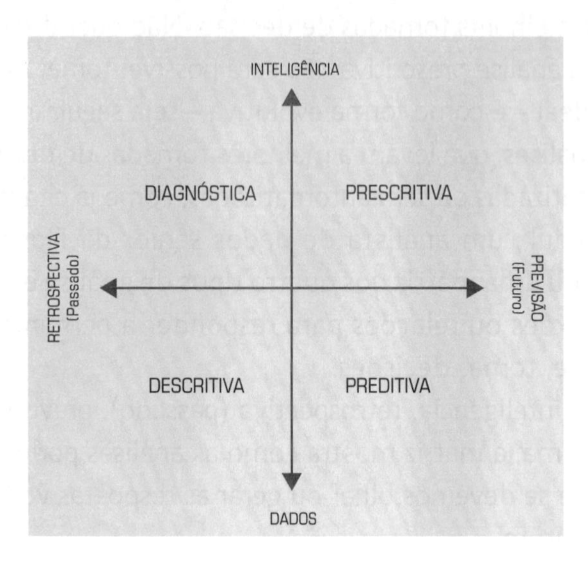

Fonte: Taras Kaduk.

Já conhecemos os quatro tipos de análise, o que cada uma representa, a utilidade de cada uma e como podemos aplicá-las.

O próximo passo é ter a consciência de que, para utilizar uma inteligência artificial ou ao menos um monitoramento de resultados, é preciso ter relatórios e objetivos bem definidos.

É comum que o grande desejo de uma empresa seja implementar inteligência artificial para substituir trabalhos rotineiros. Aqui já temos um equívoco. Inteligência artificial não é para automatizar processos. Esse tipo de tecnologia se chama automatização. Trata-se de duas tecnologias distintas e com funções diferentes, porém complementares.

Mesmo com uma automação não é possível criar se a empresa não tem minimamente organizados processos que precisam ser automatizados. É preciso, obrigatoriamente, passar por cada etapa da evolução analítica que abordaremos a seguir.

EVOLUÇÃO ANALÍTICA

A evolução analítica foca formas de investigar o que está sendo mensurado e apresenta cinco etapas, que vão desde o relatório, pontapé inicial da evolução, até a utilização de inteligência artificial.

Adiante, explicaremos cada etapa, comentando sobre sua aplicação, quando adotá-la, ferramentas utilizadas e o nível de complexidade para implantação.

As cinco etapas são: relatório, análise, monitoramento, automação e inteligência artificial.

O avanço entre uma fase e outra demanda mais complexidade, pois o nível de envolvimento com novas tecnologias, processos, métodos e a exigência em lidar com números aumenta.

Relatório

Praticamente qualquer pessoa que trabalha efetivamente com marketing e vendas está familiarizada com o termo "relatório", e muitos sentem arrepios quando escutam essa palavra. O esforço gerado para a criação de um relatório normalmente é alto.

Relatório virou sinônimo de números, gráficos e textos incompreensíveis que apenas quem o gerou compreende o que aquele bando de dados quer dizer.

Em sua maioria, a demanda pelo relatório surge de repente.

A demanda é repassada ao analista ou gestor responsável sem muita informação. Detalhes de como gerar e, principalmente, o que gerar de informação, de fato, são ignorados, o que acaba prejudicando o resultado final.

A primeira pergunta que deve ser feita para criar um relatório é: "O que você quer saber?".

Um relatório precisa relatar o que aconteceu e nada mais. Algo além disso ultrapassa as responsabilidades ou os critérios dessa etapa.

Não tenho dúvidas de que você já criou muitos relatórios. Alguns relevantes e cruciais para o negócio, outros nem tanto. Se você ainda não criou relatórios, tudo bem, em algum momento de sua vida profissional você vai fazer isso.

Relatórios são "ferramentas" que têm o objetivo de mostrar situações em números ou palavras, portanto não exigem análises, apenas dados e/ou informações. O importante de um relatório é gerar informações úteis que realmente sejam representativas.

Análise

É comum que o tempo dedicado para realizar análises para tomar decisões seja pequeno. O maior tempo da dedicação fica no levantamento dos dados.

Por isso temos a análise como segunda etapa. Nada mais crucial que entender o que aconteceu, não apenas saber o que aconteceu. Em outras palavras, não basta apenas saber o que deu certo ou errado, precisamos entender por que deu certo ou errado.

Na etapa de análise, é crucial ter dados bem organizados e preparados para realizar tal tarefa.

Caso não tenha os dados básicos e organizados para análise, o risco de gerar informações que não podem ser analisadas ou chegar a uma conclusão equivocada aumenta.

A análise dos dados deve ser realizada por pessoas familiarizadas com esse tipo de atividade, caso contrário, a tomada de decisão pode ser prejudicada. Porém, por não termos uma forte cultura de dados no Brasil, temos poucos profissionais com alta capacidade de análise de dados.

Um recurso que contribui para uma análise apurada é a visualização dos dados. Ela é capaz de facilitar a compreensão da informação gerada por meio de infográficos, gráficos e até mesmo ilustrações.

Monitoramento

Essa fase é a ideal para muitos setores de marketing e vendas nos dias de hoje. Para chegar a ela, deve-se saber quais perguntas precisam ser respondidas e ter muito bem definido o que deve ser analisado.

O monitoramento envolve algumas regras e necessita da criação de processos para que ele seja realizado.

Explicando melhor, se você precisa monitorar duas vezes por dia como estão as vendas e tem dois, três sistemas que fazem a extração dos dados, a centralização da informação gerada em um único local se torna essencial.

Utilizar planilhas Excel nesses casos é muito comum, o único problema é o tempo dedicado para atualizar a informação.

O intuito do monitoramento é mostrar o que está acontecendo em tempo real ou ao menos o mais atualizado possível.

Um recurso essencial para o monitoramento eficiente é a utilização de dashboards que mostrem as principais métricas e KPIs do negócio ou setor.

Para chegar a essa etapa, é necessário conhecimento e prática com extração de dados e composição de informações por meio dos cruzamentos em planilhas e/ou sistemas que exigem proximidade com números de forma um pouco mais intermediária.

A familiaridade com tecnologia é essencial no monitoramento.

Automação

Aqui, a ideia é automatizar operações repetitivas para mais eficiência na execução dos processos, sem qualquer intervenção humana. Por isso podemos dizer que é nessa fase que estão os sonhos da maioria dos profissionais de marketing.

Se algo é repetitivo e operacional, pode ser automatizado desde que a empresa tenha bem estabelecidos seus processos. A automação é a quarta etapa não pelo fato de automatizar processos e operações, mas principalmente pela maturidade exigida da evolução.

Processos e métodos muito bem organizados são princípios básicos na automação, do contrário, não será possível consolidar essa etapa. Por isso, aqui é necessário um grande conhecimento de tudo o que acontece na empresa.

Um conceito de automação em alta no Brasil é o da automação de marketing com o apoio de ferramentas como RD Station, Hubspot, Leadlovers, entre outras.

Para utilizar esses recursos em sua plenitude é necessário conhecer muito bem seus mecanismos para realizar toda a automação necessária, que vai muito além de envio de e-mails.

É nesse aspecto que enfatizo a maturidade do profissional responsável para rodar a automação.

Ajustes serão sempre necessários. Já vimos muitas empresas com boa experiência em mensuração passarem dificuldades em suas automações porque não conheciam as causas nem os efeitos de seus processos.

Dessa forma, para operar a quarta fase da evolução analítica o nível de complexidade é de média para alta.

Inteligência artificial

A quinta e última fase trata de um nível a que ainda poucas empresas chegaram: o da inteligência artificial.

Esse assunto tem suas polêmicas e incompreensões, mas inevitavelmente está cada vez mais presente em nossa vida por meio de robôs de atendimento como chatbots, telemarketing e outras atividades.

Além disso, temos algoritmos que capturam ações de usuários dos sistemas para aprender melhor sobre seus interesses e suas preferências.

Em nosso caso, a inteligência artificial tem a função de aprender tudo o que se passou nas etapas anteriores e continuar aprendendo sobre o dia a dia de tomadas de decisões.

Toda alimentação inicial dos dados e das informações em uma inteligência artificial é realizada por humanos, pois é a partir desses inputs que é possível encontrar padrões para realizar predições.

O objetivo é termos análises preditivas de marketing e vendas para saber o que deve acontecer nos próximos meses, se baseando em dados históricos e muita estatística, é claro.

Já imaginou ter em uma tela ou em uma conclusão que nos próximos 24 meses sua empresa terá um grande crescimento?

Ou ter uma previsão de que os caminhos de suas estratégias de marketing não são os melhores?

A inteligência artificial não apenas entrega essa informação como também aprende tudo isso para auxiliar de forma mais ágil, podendo "prever o futuro".

Por ser algo ainda pouco explorado por empresas e profissionais, existe uma desconfiança ou falta de conhecimento sobre suas possibilidades. Mas esse é um caminho seguro, que demanda ainda muita evolução.

TIPOS DE INFORMAÇÕES

Do início de minha carreira em marketing até meados dela (2016), eu tinha uma grande dificuldade em gerar relatórios.

Muita informação inserida nos relatórios não era útil para quem iria consultá-los. Isso me deixava muito angustiado porque, para mim, as informações contidas ali eram muito necessárias para a avaliação do sucesso ou fracasso das ações de marketing.

Mas praticamente em todas as amostragens de relatórios havia um declínio ou pedidos de inserção de informação, até o belo dia em que recebi o comunicado: "Rodrigo, seus relatórios são excelentes, mas, para mim, muito confusos. Não consigo entender tudo que está nele e acabo ficando perdido. Preciso saber apenas se o resultado foi positivo ou não".

Aquilo veio como uma lança no meu cérebro, porque pensei: "Aí têm exatamente as informações necessárias para avaliar a saúde das ações!".

Foi quando percebi que eu estava entregando informações operacionais a um gestor que tem pensamento estratégico. E isso mudou tudo na apresentação dos meus relatórios.

Eu fui revisar os relatórios criados, e todos eles eram extremamente técnicos, ou seja, se qualquer profissional de mídia, SEO ou de web analytics tivesse acesso a eles, entenderia tudo o que estava acontecendo, porém uma pessoa estratégica não entenderia e de fato não estaria interessada em entender.

Enquanto eram entregues informações de CPC, posicionamento no Google e aumento de conversão para os gestores, eles queriam entender o quanto de contatos foram gerados naquele mês e o quanto houve de vendas. E então podemos pensar: "A taxa de conversão está aí!".

Mas não era dessa informação que o gestor precisava, mas sim de informações estratégicas, e as táticas/operacionais deveriam ficar com os analistas.

Trouxe essa história para dizer a você que a grande dificuldade e os atritos criados em exibição de relatórios estão em antes não se obter as informações de interesse de quem for ter acesso aos relatórios e não ter feito a pergunta básica: "O que você quer saber?".

A mensagem aqui é que informações táticas/operacionais precisam ser mostradas a analistas e profissionais que estão no dia a dia da empresa operacionalmente.

Gestores, diretores e executivos querem ver a "última linha", ou seja, o que seu trabalho de fato gerou de resultado financeiro para ele.

Portanto, informações operacionais com profissionais da operação, táticas com profissionais de supervisão e coordenação e estratégicas com diretores e executivos c-level. Simples assim.

Sempre quando for criar relatórios ou informações úteis, faça a pergunta: "Para quem estou criando esse relatório ou quem irá consumir estas informações?". A segunda pergunta é: "O que você quer saber?". Para muitos clientes, sejam eles internos ou externos, a resposta dessa pergunta é "óbvia". Mas é melhor você perguntar e alinhar as informações necessárias do que criar atritos futuros entregando informações equivocadas.

Para facilitar quais os tipos de informações são para determinados perfis de profissionais, criei a família de métricas. Ela está dividida em quatro tipos de métricas e KPIs que representam o que deve ser apresentado ou criado de acordo com o perfil das pessoas que terão acesso às métricas e KPIs.

FAMÍLIA DE MÉTRICAS

A família de métricas serve apenas para você ter uma ideia de quais informações devem ser colocadas de acordo com cada perfil de profissional que irá consumir as informações geradas.

Veja como fica o quadro da família de métricas:

Figura 8.4 Família de métricas

Fonte: O autor.

Na Figura 8.4, são exibidas algumas das métricas mais utilizadas e o quadro serve como um guia para auxiliar na escolha das métricas e de algumas informações que devem ser apresentadas por você.

RESUMO DO CAPÍTULO 8

- A principal lição deste capítulo é que se tentarmos pular qualquer etapa da evolução analítica, teremos análises e informações equivocadas, o que pode (e vai) acarretar tomadas de decisão erradas.

- Quanto mais pudermos ser fiéis ao processo e seguir as regras do jogo, melhor será para o projeto de marketing de dados como um todo.

- O marketing de dados obriga todos nós a seguir o processo como manda o "script". Se fizermos diferente ou tentarmos adiantar ou pular uma fase, as chances de cometer equívocos e erros aumenta consideravelmente.

9

Caixa de ferramentas de dados

Um assunto de grande interesse quando o assunto é dados, com certeza, são as ferramentas que os envolvem. Muitas pessoas querem saber o que é possível extrair de dados, como gerar informações e o que dá para fazer de fato com tudo o que citamos até o momento.

As ferramentas e os recursos para o trabalho com dados em marketing são cruciais, pois é o que de fato dá vida ao resultado final no trabalho com dados. Porém, na cabeça de muitos profissionais, as ferramentas e os recursos são fim, ou seja, a ferramenta se torna mais importante do que aquilo que é possível fazer com ela.

Ferramenta é meio. É o meio que torna possível a entrega de uma análise de dados, o trabalho com ciência de dados e o trabalho de marketing de dados como um todo.

Temos disponíveis atualmente uma infinidade de ferramentas e recursos, então neste capítulo escolhi destacar algumas e suas funcionalidades.

Muitas ferramentas citadas nas próximas páginas foram mencionadas no Capítulo 2, mas agora vamos separá-las de acordo com suas utilidades no dia a dia.

Sendo assim, apresentarei sete tipos de ferramentas e/ou recursos que permitem que o trabalho com análise de dados seja possível e se torne completo. Com essa categorização fica mais fácil você entender o mundo das ferramentas e pesquisar sobre novos recursos sempre que precisar.

Para trabalhar com marketing de dados você não precisa ter disponível uma ferramenta de cada tipo, basta alguns deles para tornar possível um bom trabalho com a união de dados e marketing.

Cada tipo de ferramenta torna algo possível, e vou explicar cada uma e citar algumas opções para você pesquisar e se aprofundar caso deseje.

Os sete tipos de ferramentas são:

1. Captação de dados;
2. Extração de dados;
3. Exploração de dados;
4. Enriquecimento de dados;
5. Armazenamento de dados;
6. Automação da informação;
7. Visualização de dados (dataviz).

CAPTAÇÃO DE DADOS

O próprio nome já diz o fim do primeiro tipo. Para termos um bom resultado com marketing de dados, precisamos obter uma boa captação de dados. Comentei no capítulo anterior o quanto é importante seguirmos os processos e que o marketing de dados nos "obrigar" a passar etapa por etapa de cada processo que abordamos até aqui.

Sem uma boa captação de dados não há uma boa entrega de marketing de dados. Portanto, as ferramentas dessa categoria têm o objetivo de gerar dados para dar insumo ao trabalho posterior, que será a entrega de estratégias e o acompanhamento dos resultados das ações de marketing.

Realmente saber o que fazer com os recursos disponíveis e saber interpretar os dados gerados traz um novo olhar e perspectiva sobre as opções que temos. É possível que você já utilize algumas das ferramentas que citarei, mas a forma como as utiliza é o que faz toda diferença.

Algumas ferramentas para captação de dados: Google Forms, Hotjar, Navegg (brasileira), Dito (brasileira), Google Analytics, Typeform, PhoneTrack (brasileira) e Mixpanel.

EXTRAÇÃO DE DADOS

Muitas das fontes de dados existentes atualmente são de dados internos e/ou públicos e demandam recursos para extrair os dados contidos na fonte. Além disso, existem vários recursos que disponibilizam dados em seus bancos por meio de venda ou de forma gratuita.

Os recursos para extração de dados servem para obter os dados de determinada fonte e até mesmo extrair de algumas das ferramentas que citamos no primeiro tipo (captação de dados), ou seja, posso ter uma ferramenta que irá captar o dado e outra que irá extrair o dado captado de forma automatizada ou não.

Algumas ferramentas para extração de dados: TweetDeck, TrendsMap, Buzz monitor, BuzzSumo, Hunter.io, SEMRush e Ramper (brasileira).

EXPLORAÇÃO DOS DADOS

As tools de exploração de dados são responsáveis por explorar, tratar e dar algum sentido aos dados que captamos e extraímos. O papel dessas ferramentas é dar mínimo significado aos dados.

Especificamente nesse tipo, temos ferramentas ou recursos que exigem mais capacidade e conhecimento técnico, mas não se preocupe se você não possui conhecimento técnico aprofundado. O importante é você ter ciência da existência desses recursos para entender possíveis caminhos que você possa seguir com seu time e empresa para a exploração de dados.

Dessa forma, você estará apto(a) para conversar com um cientista ou analista de dados e ter o conhecimento de que recursos utilizam.

Então sugiro que aprenda ao menos o básico das ferramentas que citarei.

Algumas ferramentas de exploração de dados: Metabase, Python, R, RStudio, Pandas, Excel, Google sheets e SQL.

ENRIQUECIMENTO DE DADOS

Enriquecimento de dados tem o papel de completar dados que você já tem com informações obtidas de outras fontes de dados.

Existem várias ferramentas que detêm informações separadas de pessoas, empresas, sites etc. É possível obter um único dado de uma pessoa, por exemplo, seu e-mail e, por meio disso, trazer outras informações sem a necessidade de obter esses dados diretamente dela. O mesmo acontece com sites. Conseguimos obter informações de tráfego, perfil do público, interesses, entre outros, com ferramentas diferentes e unificá-los para obter uma informação mais completa.

Portanto, as ferramentas de enriquecimento de dados são muito úteis para nos ajudar a entender melhor nosso público-alvo e também obter informações de forma mais rápida.

É importante dizer que enriquecer dados não é algo ilegal ou antiético. Normalmente, os dados obtidos foram autorizados em algum momento pelo consumidor (até mesmo dados pessoais).

Nesse aspecto, entramos na discussão com uma pergunta simples: "Você já leu os termos de política de privacidade de algum app?". Possivelmente sua resposta foi não, e mesmo assim os aceitou. Em algum lugar estava escrito que você autoriza a utilização de seus dados.

Em 2019, o Instagram atualizou sua política de privacidade adicionando alguns termos, e um deles foi dizendo que você, usuário da rede social, autoriza a utilização de sua imagem em meios de mídia. Ou seja, se o Instagram quiser fazer um comercial para TV e utilizar algum storie ou vídeo seu, está autorizado.

As ferramentas de enriquecimento de dados aumentam muitas possibilidades de personalização para empresas e profissionais. Quanto mais rico e completo forem os dados, mais personalizada poderá ser a experiência do consumidor.

Algumas ferramentas de enriquecimento de dados: Econodata (brasileira), Datanyze, Wappalyzer, Serasa Experian (brasileira), Lusha, Crystal, Snovio, Hunter.io e ShopBack (brasileira).

ARMAZENAMENTO DE DADOS

Todos os dados captados estão saindo de alguma fonte de armazenamento de dados. E, depois que saem, devem ir para outra fonte de armazenamento.

Esse recurso também exige mais conhecimento técnico na execução de um bom trabalho. Porém, do mesmo modo que em "Exploração de dados", você não precisa se preocupar, porque antes de obter o conhecimento técnico para realizar o trabalho de marketing de dados, citarei algumas ferramentas para você ter ciência.

Ferramentas de armazenamento de dados são responsáveis por armazenar toda geração de dados e informação que você tem.

Podemos dizer que são as bases de dados que você possui. Se você utiliza alguma ferramenta de automação de marketing e/ou CRM com dados de leads e clientes, essas ferramentas usam algum tipo de armazenamento de dados.

Portanto, você e sua empresa podem ter desde uma planilha em Excel (ou Google Sheets) a um banco de dados nosql como MongoDB armazenando seus dados.

Algumas ferramentas de armazenamento de dados: Excel, Mysql, Cassandra e Mongo DB.

AUTOMAÇÃO DA INFORMAÇÃO

Criei essa divisão das ferramentas, pois acredito que hoje temos necessidade de automatizar tarefas rotineiras que geram informação diariamente.

Portanto, ferramentas que trabalham automação da informação têm o papel de fazer um trabalho repetitivo que hoje é feito por você. Por exemplo, geração de relatórios, envio de dados de uma ferramenta para outra (baixar dados em um arquivo .csv e transformar em .xlsx), ou automações condicionais em que, se um imprevisto acontecer, existe uma configuração para a execução de uma tarefa.

Resumindo, ferramentas de automação da informação nos ajudam a priorizar aquilo em que devemos ser bons: analisar as informações. Elas geram as informações e nós analisamos.

Algumas ferramentas de automação de informação: Klipfolio, Cyfe, Databox, Keepi.media (brasileira), DashGoo (brasileira), Geckoboard, Google Data Studio, Power BI, LinkedHelper, Zapier e ShopBack (brasileira).

Apenas como observação. Repare que citei a ShopBack pela segunda vez em um tipo diferente. Isso porque ela tem recursos que encaixam em tipos diferentes.

DATA VISUALIZATION (DATAVIZ)

Já citamos no Capítulo 2 o que são os dataviz e as ferramentas que temos disponíveis. Para não ficar redundante, vou apenas citar algumas outras ferramentas de dataviz, combinado?

Alguma ferramentas de dataviz: Easelly, Wordle, PlotLy, Emojitracker, Octoboard, Klipfolio, Cyfe e Google Trends.

RESUMO DO CAPÍTULO 9

- Se posso resumir este capítulo em poucas palavras, reforçaria a importância de enxergar ferramentas como meio para entregarmos algo e não como fim. Tendo essa mentalidade, somos capazes de expandir a verdadeira utilidade dos recursos de que dispomos.

- Faça boas captações de dados, interprete-os, gere informações para tomadas de decisões e crie ações por meio dos dados. Essa é a mensagem sobre a utilização de ferramentas.

- Você perceberá que os tipos de dados têm similaridade com as etapas da aplicação da ciência de dados demonstrada no Capítulo 5. E faz total sentido. Afinal, naquele capítulo mostramos o método, e aqui quais ferramentas temos disponíveis para utilizar em cada etapa dele.

10

Criando um plano de marketing de dados

Vimos muita coisa até aqui. Acredito que você já esteja colhendo frutos do aprendizado obtido até o momento.

Agora, vamos aprender a criar um plano de marketing de dados de forma simples, direta e rápida com o canva do marketing de dados.

O plano de marketing de dados deve compor o que você irá fazer para resolver um problema se orientando ao máximo por dados, diminuindo riscos e evitando erros e equívocos.

O plano de marketing de dados precisa ter um objetivo e o problema a ser resolvido.

Para isso, criei o canva com o intuito de facilitar a compreensão de como poderia ser um plano de marketing de dados para executar praticamente tudo o que vimos aqui.

Veja a Figura 10.1.

Figura 10.1 Canva do marketing de dados

1- Perguntas e problemas:	2- Métricas, KPIs e termos:	3 - Fontes de dados:	4 - Tomadas de decisão
5- Oportunidades para gerar dados:	6 - Quem irá consumir as informações	7- Formato apresentação	

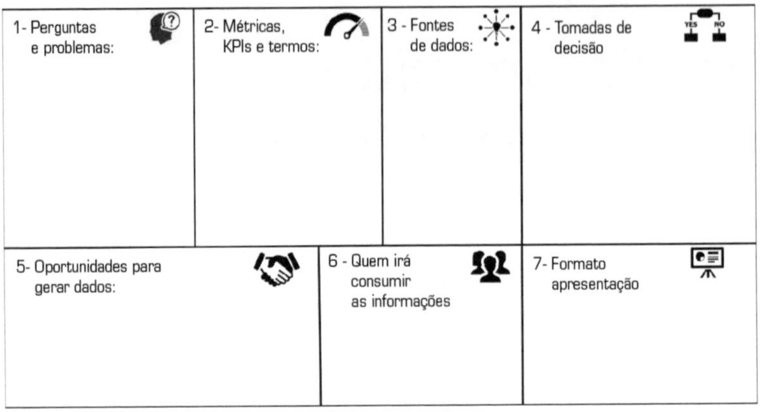

Fonte: O autor.

Juro a você que não tenho nada com o número sete. Na aplicação da ciência devemos seguir sete etapas, são sete os tipos de ferramentas de dados e agora são sete as etapas no canva do marketing de dados. É tudo pura coincidência.

Vamos então entender cada etapa para que você possa preencher o seu canva. Ao final, vou montar um canva como exemplo.

PERGUNTAS E PROBLEMAS

Na primeira etapa você precisa levantar os problemas que precisam ser resolvidos e as perguntas que possam ajudar em sua resolução.

Você pode ter muitos problemas, mas o ideal é que selecione um problema por canva. Isto é, se tiver dois ou três problemas, faça dois ou três canvas.

As perguntas devem ser feitas para encontrar possíveis soluções ou hipóteses a serem testadas para solucionar os problemas. Portanto, quanto mais perguntas você tiver, mais profundidade sobre o problema terá.

Coloque perguntas que você fará para os profissionais e/ou setores estratégicos, táticos e operacionais. Lembre-se de separar dessa maneira, pois isso é essencial para obter boas respostas.

Se você não estiver tendo boas respostas, possivelmente suas perguntas não estão boas o suficiente.

MÉTRICAS, KPIS E TERMOS

Na segunda etapa você precisa levantar as métricas, KPIs e/ou termos que você precisará acompanhar ou até mesmo criar para acompanhar ou solucionar o problema que tem.

Termos está relacionado a alguma busca, seja em mecanismos de busca, Google Trends, redes sociais, blogs etc. É importante você selecionar termos que possam auxiliar a encontrar os problemas que você quer solucionar.

Portanto, liste as métricas, KPIs e os termos que o ajudarão a acompanhar resultados e entender se está tendo avanços.

FONTES DE DADOS

Nesta etapa selecione as fontes de dados com que você vai trabalhar para solucionar o problema encontrado. Por exemplo, vamos supor que seu problema seja automatizar um relatório.

Você pode colocar que suas fontes de dados sejam Google Analytics, CRM (seja ela qual for) e automação de marketing (seja ela qual for também).

TOMADAS DE DECISÃO

O tema central, para não dizer o cerne do marketing de dados, são as melhores tomadas de decisão. Portanto, nessa etapa você vai definir as possíveis decisões para solucionar esse problema.

Se o problema for, por exemplo, a centralização de dados entre sistemas de marketing digital, o quanto a centralização de dados impactará em uma melhor tomada de decisão?

Uma resposta seria: escolher manter ou alterar a rota das ações de marketing.

OPORTUNIDADES DE GERAÇÃO DE DADOS

Na quinta etapa selecionamos ferramentas ou recursos que podem melhorar e enriquecer os dados que já temos. Muitas empresas ainda não utilizam qualquer automação, seja ela de marketing, vendas ou informação. E adicionar um recurso como esse seria uma boa oportunidade de geração de dados.

Nessa etapa, não colocamos quais dados podem ser gerados, mas sim quais oportunidades temos em nível de recursos e ferramentas.

QUEM VAI CONSUMIR AS INFORMAÇÕES

A sexta etapa traz o elemento dos setores e/ou profissionais estratégico, tático e operacional.

É de extrema importância que esteja documentado no canva quem vai consumir as informações. Você não precisa colocar uma pessoa específica, mas detalhe minimamente o setor e qual o cargo da pessoa (nível hierárquico) e diminua o risco de criar algo equivocado.

FORMATO DE APRESENTAÇÃO

No formato de apresentação você vai colocar como apresentará a solução do problema que ajudará a tomar melhores decisões.

Lembrando que aqui não é a apresentação do projeto para diretoria ou algo do tipo. Aqui, você vai colocar como será a entrega da solução do problema.

Alguns exemplos: dashboards, infográfico, apresentação Power Point, planilhas, tabelas, entre outros.

CRIANDO UM CANVA DE MARKETING DE DADOS

A seguir, vou responder às perguntas para criar um modelo de canva.

Perguntas e problemas

Problema: as informações obtidas pela empresa dependem de muitas pessoas e setores. Precisamos reunir essas informações em um único local, de forma automatizada, a fim de que todos possam acompanhar juntos.

Pronto. Temos um problema. Vou criar as perguntas agora que ajudarão a compreender como podemos encontrar as soluções para resolvê-lo.

Você pode utilizar as perguntas da aplicação da ciência de dados ou criar outras de acordo com seu negócio, situação ou problema.

1. Quais cargos e setores precisam passar dados para criar as informações gerais? (Entender com quem precisará conversar.)
2. Como funciona o processo para a obtenção de informação? Existe alguma documentação de como são criadas as informações? (Entender o fluxo, e, se houver documentação, facilita o estudo.)

3. Quantas pessoas são necessárias para criar essas informações? (Para entender com quem devemos conversar. Aqui especificamos as pessoas de cada cargo.)

Métricas, KPIs e/ou termos

LTV, CAC, ROI, faturamento e margem da empresa.

Fontes de dados

ERP, CRM, Google Analytics e sistema próprio da empresa.

Tomadas de decisão

Entender a necessidade de alteração de rotas em ações de marketing e vendas.

Oportunidades para gerar mais dados

Econodata (enriquecer dados) e ShopBack (captar leads por e-mail retargeting).

Quem vai consumir as informações

Setores e/ou profissionais estratégico: diretores e coordenadores.

Formato de apresentação

Dashboards atualizados em tempo real.

Veja o canva preenchido a seguir:

Figura 10.2 Canva do marketing de dados preenchido

1- Perguntas e problemas:	2- Métricas, KPIs e termos:	3 - Fontes de dados:	4 - Tomadas de decisão
Problema: as informações obtidas pela empresa dependem de muitas pessoas e setores. Precisamos reunir essas informações em único local, de forma automatizada, a fim de que todos possam acompanhar juntos.	LTV, CAC, ROI, faturamento e margem da empresa.	ERP, CRM, Google Analytics, sistema próprio da empresa.	Alteração de rotas em ações de marketing e vendas.

5- Oportunidades para gerar dados:	6 - Quem irá consumir as informações	7- Formato apresentação
Econodata (enriquecer dados) e Shopback (captar leads por e-mail retargeting).	Setores e/ou profissionais Estratégico: diretores e coordenadores	Dashboards atualizados em tempo real.

Fonte: O autor.

E AGORA?

Essa pergunta pode estar na sua cabeça, certo?

Agora, você tem um plano estruturado de como ir atrás das respostas para resolver o problema.

Baseado em tudo o que aprendemos, conseguimos agora saber o que precisamos fazer e com quem conversar.

O que deve ser feito após o preenchimento do canva é criar um plano de ação para conseguir executar seu plano de marketing de dados.

RESUMO DO CAPÍTULO 10

- Criar seu plano de marketing de dados é o primeiro passo para de fato se trabalhar com marketing de dados.

- A aplicação da ciência de dados, a utilização de tecnologias e a exploração de dados passa por um plano bem estruturado, direcionando você para onde quer chegar: a solução do problema.

- É basicamente disso que se trata o marketing de dados. Resolver problemas orientado por dados e tomar melhores decisões. Com o canva você deu o pontapé inicial para a ação. *Move on!*

11

Não se esqueça das pessoas

Falamos de tecnologia, como gerar, interpretar e transformar dados em oportunidades e o método para fazer isso acontecer.

No entanto, muitas vezes, devido à abundância de tecnologias e recursos disponíveis, esquecemos do mais importante: as pessoas.

Você pode se perguntar: "Por que um livro de marketing de dados que envolve tecnologia tem um capítulo dedicado a pessoas?".

A resposta é muito simples. Porque sem pessoas não existe marketing de dados. Na verdade, não existe dado. Mas quero tratar das pessoas que não são os consumidores de nossos sites, empresas ou lojas físicas.

As pessoas que vou abordar são as pessoas responsáveis por engenharia, análise e ciência de dados. As pessoas de marketing. As pessoas da empresa. Estou falando de você.

Quando trouxe um capítulo específico sobre cultura, mostrei como é necessário o envolvimento das pessoas para um projeto de marketing de dados dar certo e seguir em frente.

Apesar de estarmos lidando com uma grande mudança sem volta no *mindset* dos profissionais da comunicação como um todo, quero trazer uma perspectiva de como saber lidar com as pessoas se torna 80% do sucesso de um projeto, seja ele qual for.

Vi muitos projetos, empregos e ideias espetaculares malsucedidos porque embora o lado técnico, business e tecnológico estivesse impecável, o lado humano não estava tão preparado para lidar com pessoas e situações diferentes.

Vejo muitos elementos em empresas, gestores e profissionais que poderiam ser melhor trabalhados com um simples diálogo frequente.

Inclusive, isso aconteceu comigo em uma das etapas da Buscar ID, entre 2016 e 2017. Nesse período formamos um time na empresa que podemos chamar de *dream team* do marketing digital. Éramos referidos por alguns grandes profissionais do marketing no Brasil como o "Real Madrid" do marketing digital.

Nesse caso, aconteceu exatamente o que citei anteriormente. Tínhamos um time impecável tecnicamente, tínhamos boas tecnologias, os resultados apareciam muito bem tanto para a empresa quanto para clientes, mas eu, como líder, falhei no desenvolvimento desse *dream team*.

Tomei algumas decisões erradas, não fui um bom líder e não soube lidar com algumas situações que culminaram na perda do engajamento das pessoas que tenho tanto orgulho de dizer que liderei e com que trabalhei.

O ser humano tem por natureza resistência à mudança. Não importa o cargo, a experiência de mercado ou história de vida. Está em nosso código-fonte.

Quando trabalhamos com dados por muito tempo, é comum ser mais duro e rígido com as informações e formas de lidar com algumas situações, visto que "contra dados não há argumentos".

O mundo ideal é conseguir criar um equilíbrio entre a rigidez dos dados e o instinto profissional e humano. Para entender isso, precisei passar por algumas situações não muito agradáveis, mas de grande aprendizado.

Por isso, vou trazer um pouco da minha experiência de forma rápida e objetiva, explicando como podemos criar iniciativas para melhorar o clima na empresa e deixar mais leve adaptações e ajustes ao se trabalhar com marketing de dados.

Um dos pontos mais importantes para o desenvolvimento de pessoas e times é a preocupação com o desenvolvimento pessoal e profissional das pessoas inseridas na empresa.

Sendo assim, você já parou para pensar que cada pessoa com quem você convive, independentemente de sua personalidade ou cargo, tem um objetivo de vida? E para atingir esse objetivo é necessário passar pelo desenvolvimento pessoal e profissional, qualificando-se cada vez mais. Muitas vezes a qualificação é voltada apenas para obter conhecimento técnico.

Quando eu tinha o *dream team*, para mim, por serem qualificados tecnicamente não seria necessário direcioná-los, pois eles(as) mesmos(as) seriam capazes de criar esse direcionamento.

Aquilo era óbvio para mim, mas o que é óbvio para você pode não ser para o outro. Quando entendemos e absorvemos esse conhecimento, tudo fica mais fácil.

Um dos pilares para evitar o óbvio na cabeça das pessoas e times envolve uma tecnologia incrível que eu, como autor deste livro e responsável por transmitir uma mensagem importante como a que estamos tendo até o momento, não poderia deixar de apresentar.

Essa tecnologia se chama conversa, diálogo. Por incrível que pareça, essa tecnologia está sendo cada vez menos utilizada, na minha opinião, e é a que mais entrega resultado.

Portanto, estimule a conversa.

CONVERSE COM SEUS PARES

Seja você um líder, coordenador, analista ou estagiário, nunca deixe de conversar com seus pares e as pessoas ao seu redor, mesmo que sejam profissionais fora de sua área ou expertise.

Sem um bom acompanhamento do time como líder, analista e até mesmo estagiário, dificilmente algo se mantém.

Com as conversas frequentes, sejam elas formais ou informais, os alinhamentos de uma empresa e/ou setor ficam muito mais claros.

Uma comunicação clara, transparente e frequente é o melhor dos mundos para todos. Um cuidado que todos nós temos que ter é na transmissão da mensagem em uma conversa. Digo isso porque não existe garantia de que seu interlocutor entendeu o que foi dito.

Como o grande comunicador David Ogilvy diz, "comunicação não é o que você diz, é o que os outros entendem". Quantas vezes você já tentou falar alguma coisa para uma pessoa e ela não estava entendendo o que você estava tentando dizer? Será que suas palavras para as outras pessoas foram claras o suficiente?

Muitas vezes o trabalho com dados contribui para deixar a conversa mais clara, mas em outras a realidade pode não ser essa.

Tenha conversas semanais, quinzenais ou até mensais com seus pares, mesmo que sejam conversas informais sobre o trabalho, atividades exercidas e procure dar sugestões de melhorias para o ambiente.

Procure conhecer seus pares. Tente entender como eles se comunicam, como recebem uma comunicação e como vocês podem trabalhar juntos da melhor forma possível, permitindo que ambos contribuam com suas evoluções como pessoas e profissionais.

Dê voz às pessoas ou faça com que elas sejam ouvidas. É de responsabilidade e dever de qualquer pessoa tornar isso possível e viável.

Se você acha que tem uma ou algumas pessoas com quem precisa conversar mais, marque ainda hoje um papo para esclarecer problemas e soluções. Você vai ver o quanto isso será libertador.

E, caso uma primeira conversa não saia como o esperado, continue tentando. O que pode ter acontecido é que você não acertou na abordagem ou no papo em si. E está tudo bem.

O importante é possibilitar que conversas aconteçam. Crie debates e procure sempre encontrar soluções.

Quando trabalhamos com dados, a exigência por conversas que sejam claras e frequentes aumenta justamente pela racionalidade e lógica que trazemos para o trabalho. Muitas vezes vamos enxergar problemas que antes não eram vistos, e o diálogo para discutir soluções e possíveis caminhos é o mais indicado.

Se você cria uma cultura ou rotina de conversas, a tendência é que fique mais simples ou ao menos mais orgânica a tentativa de encontrar soluções.

RESUMO DO CAPÍTULO 11

- O que move uma empresa são pessoas e dados. Nem apenas um, nem apenas o outro. O equilíbrio entre os dois é o mundo perfeito. A boa notícia é que esse mundo perfeito existe. Basta criá-lo.

- Por fim, este capítulo é bem direto e objetivo para ressaltar que pessoas são importantes para o processo de tudo o que abordamos até aqui.

12

Futuro do marketing: o que esperar dos próximos anos?

Prever o futuro. Esse desejo de todo ser humano é o que chama mais atenção em temas como futurismo, análises preditivas e prescritivas.

Você já parou para pensar por que prestamos tanta atenção em tendências de mercado e no que está por vir? Simples. Porque nossa cabeça tenta nos proteger a todo momento.

Imagine que você saiba o que vai acontecer no futuro e que será algo totalmente distante de sua realidade. O que naturalmente vamos fazer? Vamos começar a nos preparar desde já para quando esse futuro chegar – caso contrário, vamos correr ao máximo dele, numa atitude mais confortável e cômoda.

Fazendo uma analogia, seria como se você estivesse se divertindo no mar e uma grande onda estivesse vindo em sua direção. O que fazemos? Primeiro "calculamos" instintivamente se conseguimos pular aquela onda e, se a pularmos, quais riscos corremos.

Na tomada de decisão entre enfrentar a onda ou não temos duas opções. A primeira é se preparar para passar pela onda respirando fundo e mergulhar enquanto ela passa, e a outra é correr da onda em direção à beira da praia, com o intuito de diminuir o impacto dela.

Isso é o que acontece com nossa cabeça quando queremos prever o futuro.

Sendo assim, o que podemos esperar do marketing nos próximos anos? Claro que não vou me arriscar dizendo o que acontecerá, mas vou dizer o que acredito que todo profissional precisa fazer para os próximos anos.

TRÊS PILARES

Falamos sobre isso no início do livro e ratifico no fim.

Qualquer profissional de marketing precisa se qualificar cada vez mais em tecnologia, analytics e business.

Esses três pilares são essenciais para os próximos anos não apenas para quem lida com resultados no dia a dia, mas também para os criativos.

Apresento esses três pilares, pois eles são quase um processo de geração de informação (tech), análises dessas informações da melhor forma (analytics) e interpretação das informações para dar acurácia e maturidade nas tomadas de decisão (business).

Hoje, mais do que qualquer outra época, informação e conhecimento são a melhor maneira de expressar e traduzir a palavra poder.

Conhecimento é poder. A informação está disponível para todos, e gerar conhecimento por meio dela é o grande desafio.

Pense naquela pessoa ou profissional que você admira e diz: "Esse(a) profissional é incrível. Assisto aos vídeos, leio os artigos em seu blog, sigo nas redes sociais, enfim, confio muito no que ele(a) diz".

A diferença entre essa pessoa e você é o nível de informação e conhecimento que ela tem sobre sua área. Essa pessoa possivelmente tem mais experiência do que você. Mas ela conseguiu isso por meio das informações geradas, testes realizados por meio delas e aprendizados adquiridos com os testes. Isso é conhecimento.

Vimos no Capítulo 2 as várias tecnologias que temos disponíveis atualmente e, claro, não tenha dúvidas de que nos próximos anos (para não dizer meses) muitas outras novidades nascerão. Enxergue isso como oportunidade e não como ameaça.

Mantenha-se atualizado ao máximo sobre as novas tecnologias, mesmo que não tenha relação direta com o que você faz.

Adicione novas habilidades em seu portfólio para enriquecer a criação de soluções para os problemas que você enfrentará.

Se você puder criar experiências diversas para a sua vida, sejam elas pessoais ou profissionais com atividades variadas e carreiras diferentes, você estará à frente de muitos outros profissionais.

Transforme suas profissões do passado em habilidades do futuro.

Expanda suas possibilidades profissionais. Os três pilares vão permitir isso. Pode confiar.

Vou mostrar a você a pirâmide do poder, pois acredito muito nas possibilidades criadas por toda informação e conhecimento gerados atualmente. Apenas deixando claro, não estou incentivando você a ter poderes e dominar o mundo, mas sim a dominar o seu mundo.

Não adianta você ter um volume de dados imenso e não fazer nada com ele. É preciso transformar esses dados em informação, para que essa informação se transforme em conhecimento e para o conhecimento se transformar em sabedoria.

E quanto mais transformamos dados em sabedoria, maior o valor que teremos. Vou fazer um teste rápido com você.

Pense que você precisa contratar uma pessoa e está em dúvida entre dois candidatos.

Os dois candidatos têm habilidades parecidas que estão de acordo com as exigências do cargo. Ambos têm fit cultural com a empresa e o mesmo tempo de experiência e mercado. Os dois toparam o salário e benefícios oferecidos. E, realmente, apresentam qualificação técnica para a vaga.

Porém, há um elemento que pode desempatar.

Um candidato diz que detém um grande volume de dados de mercado que poderia contribuir com o dia a dia da empresa e a criação de estratégias perante os concorrentes e poderia compartilhar esses dados caso fosse contratado. O outro candidato já mostra um nível de conhecimento maior, que lhe permite tomar decisões melhores. Embora o tempo de mercado seja o mesmo, como mencionado, a experiência obtida parece ser mais abrangente. Demonstrou mais propriedade no assunto que o cargo exige, trouxe ideias de como enfrentar problemas e encontrar soluções rápidas.

E então? Quem você escolheria?

Posso me enganar, mas acredito que você escolheria o segundo candidato por ter demonstrado mais capacidade em tomadas de decisão rápidas e exposição de soluções.

Meu ponto aqui é mostrar que enquanto uma pessoa dispunha de uma base de dados incrível que precisava ser acessada, a outra pessoa detinha conhecimento intrínseco, que agrega mais do que uma simples base de dados.

Portanto, se pudermos representar o exemplo graficamente, ficaria assim:

Figura 12.1 Pirâmide DIKW × Valor

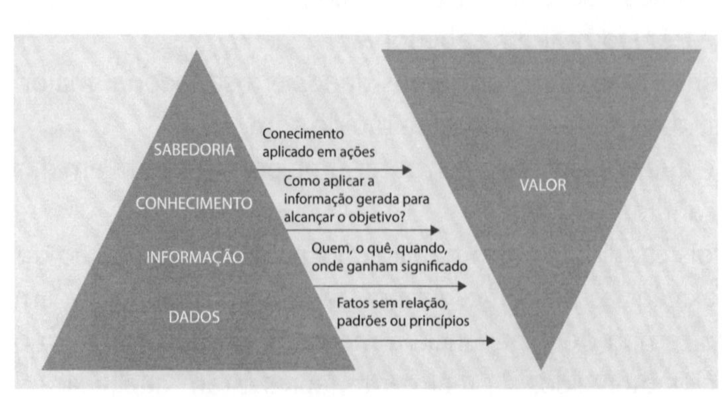

Fonte: Desconhecida. Créditos da representação gráfica a Cappra Data Science.

Considerações finais

O marketing por dados oferece oportunidades antes nunca alcançadas. O volume de informações que temos disponível nos faz ultrapassar barreiras que antes não eram possíveis por limitações tecnológicas ou mesmo processuais.

Tudo o que foi abordado aqui deve ser considerado uma grande oportunidade de negócio. Pouquíssimas empresas no Brasil estão aplicando marketing de dados em suas estratégias.

Comece agora e saia na frente de seus concorrentes com o marketing por dados e tenha seus resultados monitorados gerando insights valiosos para melhores tomadas de decisão.

O momento para inovar a forma como você faz marketing e ser pioneiro em seu mercado é agora. Explore o marketing por dados, gere dados, transforme-os em informações úteis e únicas, acumule conhecimento, usufrua da sabedoria e tenha resultados incríveis.

Marketing por dados o auxilia em tomadas de decisão e foca a assertividade das ações de marketing.

Seja organizado, tenha disciplina, siga processos com o devido compromisso firmado e se apoie e qualifique cada vez mais nos três pilares (tech, analytics e business) para ter excelência em marketing por dados.

A era do achismo acabou com o marketing por dados.

Até a próxima, e espero encontrá-lo(a) por este mundo.

Bibliografia

ARTIFICIAL intelligence. *Wikipedia*, 2019. Disponível em: <https://en.wikipedia.org/wiki/Artificial_intelligence>. Acesso em: 9 set. 2019.

DATALABS Agency. Disponível em: <https://www.datalabsagency.com/2014/12/22/15-most-common-types-of-data-visualisation/>. Acesso em: 16 set. 2019.

INTERFACE de programação de aplicações. *Wikipédia*, 2019. Disponível em: <https://pt.wikipedia.org/wiki/Interface_de_programa%C3%A7%C3%A3o_de_aplica%C3%A7%C3%B5es>. Acesso em: 9 set. 2019.

MOHAPATRA, P. "The power of insight: delivering on brand promise at the point of interaction." *IBM Big Data Hub*, 2014. Disponível em: <https://www.ibmbigdatahub.com/blog/power-insight-delivering-brand-promise-point-interaction>. Acesso em: 9 set. 2019.

QUE dados são considerados sensíveis. *Comissão Europeia*, s. d. Disponível em: <https://ec.europa.eu/info/law/law-topic/data-protection/reform/rules-business-and-organisations/legal-grounds-processing-data/sensitive-data/what-personal-data-considered-sensitive_pt>. Acesso em: 9 set. 2019.

REGULAMENTO geral sobre a proteção de dados. *Wikipédia*, 2018. Disponível em: <https://pt.wikipedia.org/wiki/Regulamento_Geral_sobre_a_Prote%C3%A7%C3%A3o_de_Dados>. Acesso em: 9 set. 2019.

Contato com o autor:
rnascimento@editoraevora.com.br

Este livro foi impresso pela BMF Gráfica em papel *Offset* 70g.